FERENC BERKO

Kulturprogramm der Kodak Aktiengesellschaft

EDITION **S**TEMMLE

SCHAFFHAUSEN · ZÜRICH · FRANKFURT/M · DÜSSELDORF

Karl Steinorth (Editor)

Ferenc Berko
60 Years of Photography

With essays by
Colin Ford and Helmut Gernsheim

FERENC BERKO

60 YEARS OF PHOTOGRAPHY « THE DISCOVERING EYE »

CONTENTS

FOREWORD

Karl Steinorth

This publication, and the exhibition which it accompanies, are presented by the Kodak Cultural Program. Both fulfil my longheld ambition to show all the important areas of Ferenc Berko's work alongside each other, thus revealing how courageously and resolutely he mastered his destiny as a young man.

The exhibition and the book show how necessary it is to present the entire spectrum of Berko's creative work despite – or perhaps because of – his wide interests and photographic styles. All these photographs show that, not only was his work always of high quality, itwas usually ahead of its time.

This is best demonstrated by his colour pictures. Here, Berko perceived forms in colour which no-one else seems to have seen before. By isolating the abstract elements in a picture, he created a new vision: "In his private pictures" – Berko according to James Enyeart (Director of the International Museum of Photography, Rochester/New York) – "was able to follow a complex and extraordinary line of investigation into abstract uses of color".

Many of the visitors to the exhibition have expressed surprise at the dates under Berko's pictures, amazed to learn that any photographers was making such modern use of colour as early as the end of the 1940s. The same can be said of his nudes. Their control of composition – their use of light and shade – showed that in the 1930s Berko was already seeing things in a way which would later become commonplace. One reason his work is included in every important book on nude photography is that it was always so innovative.

As well as classical portraits, Berko took numerous portraits in a photojournalistic manner – long before photographers had begun to use reportage as a stylistic form for portraiture and fashion. His photojournalism in Europe and India, too, is important. It shows him to be in the tradition of the major photojournalists of the time. It also reveals that, during his formative years, he was strongly influenced by "New Realism", then so influential in Germany.

The opportunity to present Ferenc Berko's complete photographic work, with representative examples from all his areas of activity, came about in connection with the 22nd Rencontres Internationales de la Photographie in Arles, where retrospectives of the achievements of major masters of photography has always been traditional. To be invited to exhibit there is considered both an honour for the photographer, and an enrichment for the Festival.

I have to express thanks to Ray DeMoulin, Cornell Capa and Dr. Thomas Stemmle all of whom immediately supported my plan for a Berko exhibition and book, and gave me great encouragement. But I would like especially to thank Ferenc Berko himself, always helpful and always patiently supportive.

I BELIEVE PHOTOGRAPHY THAT ENDURES,
LIKE ANY OTHER FORM OF ART,
DOES NOT NEED EXPLANATION.

An Interview with Ferenc Berko
– the questions were asked by Karl Steinorth –
Arles July 10, 1991

Q: You were born on the 28th of January 1916 in Nagyvárad – literally "Big City" – which after the Treaty of Trianon became Ore Dea Mare in Roumania. Your mother died when you were 2 years of age. In 1921, when you were 5, your father went with his mother, your sister and you to Germany. Many intellectuals, artists and liberals left Hungary because they disliked the very conservative and oppressive Horthy Regime. Was this the reason why your father left or were professional opportunities of more importance?

Berko: Both. My father, whose family was originally Jewish and had converted to Calvinism, was an agnostic. He was not interested in politics but by his intellectual make-up was a liberal. He was a disciple of Freud, and specialised in the treatment of nervous diseases. He had been widely published in scientific publications and books. He saw the dangers of a rightist dictatorship and welcomed the opportunity to become the head of the psychiatric department of a well-known, even fashionable, clinic outside Dresden, in the liberal climate of the Weimar-Republic.

Q: Was your father able to look much after you?

Berko: He did as much as he could, but it was my grandmother who looked after us all. He was very occupied with the problems of his patients, and also published extensively in scientific publications. Although professionally overworked and not in good health, he spent as much time with us as possible, and also encouraged us to learn languages. He had us visit our uncles in Austria and in the south of Hungary where they had a large estate with a winery. Their main business was the cultivation of the stock onto which could be grafted wines all over the world, as this stock was resistant to insects fatal to wines elsewhere.

Q: In 1926, after elementary school, you attended a gymnasium in Dresden. Like many of your age, you got a camera as a present at this time.

Berko: A "Kolibri" – which I used extensively as I was already very interested in photography and film. I remember photographing my teachers and fellow students.

Q: In 1932 your father died after much suffering. He had provided well for his family.

Berko: Yes, and for the last two years of his life he had already arranged for me to live in Berlin with an industrialist and his wife who had been a patient of his for some time. (My sister was in a Swiss boarding school, and later studied dancing with the famous Mary Trümpy). They were part of a large family whose father had founded the, after Mercedes-Benz, best-known Adler car company. It was bombed out in World War II but later on kept on producing typewriters.

Q: Was Berlin, where you then lived, an exciting city for you?

Berko: Yes, for the two years until my guardians had, for reasons of their family business, to move to Frankfurt, where the Adlerwerke were located, Berlin was a great experience. It was at that time, and for a short time, the foremost city of the world for the theatre, music and film, and many of the best-known artists and architects, like Moholy-Nagy, Walter Gropius, Marcel Breuer and Hans Poelzig were frequent guests in our home.

Q: From 1929 until 1933 you lived in Kronberg near Frankfurt and attended a gymnasium in Frankfurt. What are your memories of those years?

Berko: As in Berlin, many of the leading personalities of the various arts visited our home. By that time I had become even more interested in photography. I was given a Leica, and had a very small cubbyhole-like darkroom where I could develop and print. I met photographers like Hein Gorny and Dr. Paul Wolff, who was the pioneer of 35 mm, and especially Leica, photography.

Q: What is foremost on your mind when you think of the years in Frankfurt?

Berko: Those were happy years, particularly because I met and fell in love with my future wife Mirte (we were married 1937 in London). With some friends of my age she daily took the little train with us to Frankfurt, where she attended, under the direction of Prof. Klimt, the fashion department of the famous Staedel Art School. We played tennis together, and I often visited her Italian mother and 2 sisters; her German father, an officer of the army, had been killed just at the end of the war.

Q: Did you keep in touch with your relatives in Hungary?

Berko: I spent every summer holiday with them. I recently looked at photographs I took there in the village and in the countryside, and at some of the beautiful city of Budapest, as well as some of its Jewish quarters. During these years the horizon darkened in Germany by the development of the Hitler menace with its increasing warmongering and its anti-semitism.

Q: Giselle Freund has written about her student days in Frankfurt after Hitler's rise to power. How did you experience 1933?

Berko: It was my guardian mother who most clearly foresaw the consequences of Hitler for Germany and the world, and also what his anti-semitism would mean for me as a "non-aryan". She had many friends amongst artists and architects who in the years to come had to leave or decided to leave Germany and who recognised very early what the Hitler regime would lead to. There still were many, her husband amongst them, who thought the brown menace wouldn't last, but there were many others who foresaw the catastrophy Germany was heading for. It was therefore mainly her determination that made them decide to send me, in 1933, to England to complete my formal education. I had already been in England on a student exchange and had liked England very much. Later on, Mirte joined me in London, where she attended fashion courses, and in Paris, where she worked on a voluntary basis at fashion houses, and also as a model.

Q: So you first went to a grammar school to prepare for further study. However, what happended to change this plan in favour of a career in film and photography?

Berko: Since I spent most of the time with photography, my formal education consisted more of extension and evening courses of the London University, as e.g. one with the then very popular philosopher C.E.M. Joad. One of my luckier encounters was with E.O. Hoppé who, originally from Munich, had been for many years the portrait photographer of royalty. He had also been a great travel photographer, and author of many books. It was he who, on seeing my photographs, encouraged me to seriously take up photography as a profession, and particularly to concentrate on photo journalism, starting with London – the city and its people. One of my photographs of a series on the embankment, a contralight shot of the Thames, was used by Leitz, in a very large size, to prove the merits of the by then in England still not at all popular 35mm camera – and, especially, of course, of the Leica.

Q: A further encouragement and success at this time was the award of a first prize in a photo competition. How did this come about?

Berko: Boots, the premier chemist in England, with branches all over the country, was very committed to photography – they would sell films and, I believe, develop and print amateur photos. In the year of the coronation they announced a competition for the picture which would best show the spirit of that celebration. I had sent in a photograph showing people dancing in the streets in one of the poorer districts of

London, not far from Hampstead, where I lived. The news that I had been awarded the first prize of —156— 5000 reached me in Switzerland where we were visiting relatives. Looking back, I believe that this had much to do with strengthening my determination to follow a career as a photographer and film maker, and not to first follow another, more "serious" profession, as my uncle in Hungary always urged me to do.

Q: That time in London also meant the beginning of your work in films?
Berko: Even when still in Frankfurt I had been interested in film making, and when I became acquainted with two young British men, one of whom had founded, and was editor of, an avant-guard film magazine called "film art" – no capitals, Bauhaus style! -, I joined them. They had the same enthusiasm for everything to do with films as I had, and, as I, practically no money. We were, however, given the chance by a financier of Korda's London Films, who had founded a small company called Epidaurus Trust, to do some short documentaries – shorts, as they were called then -, which ran, along with the Movietone News, before the feature films. We worked with hand-held 35mm Eyemos, and did, for instance, a story on a small girl, separated from her parents, and lost in Hyde Park, who was eventually returned to her parents by a nice London bobby. These were all done by existing light, of course. While it did not bring in any money, we learnt a lot about all phases of filmmaking with the exception of studio light.

Q: From 1933 – 1934 on you lived both in London and Paris?
Berko: We would get visas for 6 months only, so we alternated between England and France. Much as we loved Paris we always worried that the French authorities, which we could not trust as we did the British, would, without prior warning, force us to leave France.

Q: You said Mirte worked as a "Volontaire" in Paris fashion houses. What were you doing while in Paris?
Berko: I succeeded in being allowed to work on a voluntary basis for a French film production company. I was aware that, if I wanted to be a professional cameraman, I had to know about studio lighting and procedures, which I had not been able to do while making our short documentaries. All my spare time I spent photographing in the streets. I also started taking nudes, mostly on beaches, when we could get away, with Mirte being my main model. With very primitive lights and backgrounds, in our flat, we also occasionally got models from revues. I was of course very pleased when the author of the German book "Leica Fotografie in aller Welt" in 1938 used two of my nudes and asked me to write an article on photography in France. My nudes were also published in the British "The Naturalist", a photo magazin, in "Photography" and in the French magazine "Paris Magazine", which had a large circulation. It seems I had a flair for nudes, and had, of course, a very good model in Mirte.

Q: To return to your stay in England. You did have contacts with some of the artists and architects who had left Germany, and who had been acquaintances from the time they visited your guardians' home in Berlin and Frankfurt?
Berko: Yes, I met with several of them, as e.g. Moholy-Nagy, Kepes, Breuer and Gropius, who later on all emigrated to the US. They were friendly, interested and helpful, and gave me advice, even if once in a while it was not always what I wanted to hear. So, for instance, Moholy-Nagy repeated what my uncle in Hungary had said – not exclusively to be a photographer but for safety's sake have another profession as well. However, neither the circumstances nor my concentration on film and photography would allow me to follow this particular advice.

Q: How did your decision to go to India come about?
Berko: Both Mirte and I were convinced that Europe would soon be in a war, and that we might be in a country – France, at that time – which might go along with the Third Reich. Even with the more correct behaviour which we might expect from the British we would, at least, be interned, which would be the end of any possibility of a career which I had been working for these years. A good friend – classmate of mine in Frankfurt – had come to England at the same time as we did and lived right next door to us in Hampstead. He knew of

our desire to leave Europe, and asked his father, who had been an eminent professor of dermatology at the University of Frankfurt and had emigrated to Bombay, whether he could help us. The doctor had built up an extremely successful practice and knew many people, amongst whom was an Indian film producer-director. He had worked at Ufa in Berlin for 9 years, and wanted for his own production company European technicians in order to improve the quality of his films. He gave me a 1-year contract as a cameraman; and so, in the spring of 1938, we left for a new world and a new life.

Q: Wasn't it very difficult to get permission to go to India? We know from the years before World War II the difficulties emigrants had to face.
Berko: I don't remember any problems in our case. I had a valid Hungarian passport and a firm contract as a technician for an Indian company.

Q: What was the first film you worked on as a cameraman?
Berko: It was a successor to the producer's first and very successful Indian imitation of a "Tarzan" film. I still remember being picked up in a small car where I found myself sitting next to a chimpanzee – practically a co-star of the film – who welcomed me with big grins and, literally, open arms.

Q: Did the film company do a lot of outdoor work?
Berko: Yes, a great deal was being shot outside Bombay and in different parts of the country. They were planning to shoot in Kashmir, Darjeeling and Sikkim, and I thought that, since there might not be another opportunity like this, Mirte should come with us even if our budget would hardly allow the extra expenses. Thus we saw much that was to change in the years to come. We would also not have been able to see Sikkim, as it was closed off to all foreigners, as was Tibet. We have wonderful memories of these trips, and of course many photographs. Another insight at what was at this time the remainder of the British Raj was a trip to a small native state. My producer had been asked by Movietone to send footage of the wedding of the Maharaja's son – the reason for this being that the young man was a wellknown cricketer. The wedding, with all its pomp – elephants, huge attendence from befriended native states etc. – was an unforgettable experience.

Q: Then, after about 2 years, you started your own photo studio on the premises of and in collaboration with the leading British advertising agency D.J. Keymer?
Berko: Although I stayed longer with the film company than the original contract called for, I felt that even if I might have been able to somewhat improve the films technically, the distributors forced my producer to grind out the same worn-out but popular subject matter. I also longed to be independent, for all its risks, and more versatile in my work, and be able to do more photography of my own, even if I had photographed a great deal from the time I arrived in India. For instance, apart from my journalistic and documentary work, and of course industrial and portrait work, I photographed Indian temples, Indian dancers and bronze collections of European and Indian owners. I sent much of my work abroad, mainly to England and America, and was always pleased when quite a lot of it, amongst it many nudes, was published, as e.g. in "Lilliput" in England, and in "U S Camera", "Popular Photography, "Modern Photography" and "Coronet" in the US. Also, with the help of the advertising agency's art director, I put together a dummy for a book on India, with very good photographs and a beautiful text by the outstanding author Rumer Godden. Unfortunately and to my great regret, its publisher, Batsford, was bombed during the following years, and the book destroyed.

Q: What cameras did you work with during these years?
Berko: Mainly Leica and Rolleiflex, and for the studio and some other work I used an old, beautiful wooden 1/4-plate English view camera. I also had a very experienced old Goanese photographer do most of my developing and printing in a woefully small, hot unventilated darkroom, which, however, did not bother him at all as he was used to such conditions.

11

Q: You also continued to work on one of your favourite subjects, nudes?
Berko: Yes, a lot of my best nudes were taken during these years, in the studio as well as on secluded beaches not far from the bungalow near the sea where we lived.

Q: To a great extent, you earned your living with portraits. Where did the sitters come from?
Berko: Since I was the only European portrait photographer in Bombay and possibly India, many Europeans, some from the forces, some business people, writers, actors coming through Bombay from Europe, and many Indians came to my studio. We also had maharanis from native states who had heard from or been told about me, who would before the sittings send their personal emissaries with a huge selection of the most beautiful sarees and boxes of incredible jewelry to ask Mirte's advice as to what their Highnesses should wear when posing for the famous photographer. Some were very beautiful women. I'm sure it was an extraordinary experience for them when I asked them to lie down on a reclining chair to have their portraits taken. I had found that this way their faces were more relaxed, and that the lighting could be simpler and more flattering. Mirte helped me at the studio; she also worked at the censor's office – the CID knew more about us and even her relatives than we did and must have given us the green light – where she was translating foreign-language letters and, later on, worked for the Red Cross.

Q: John Grierson's famous documentary film unit in England commissioned a couple of the leading advertising agencies to do documentary films with the purpose to recruit soldiers for the Volunteer Indian Army. Did you work on some of these?
Berko: I did shoot two of them, but soon the British Government established the "Directorate of Kinematography", and it was at that time, after years of waiting, that I was accepted by the army and became a director of one of their film units, with the rank of staff captain. Its headquarters were in Delhi, but the production units were located in Bombay and, fortunately for me, in the building right next to the one where I had my studio, so that sometimes I was given permission to take a portrait in my studio. I was also lucky not to be assigned to do the very dull training films but work on semi-documentary films which were supposed to show how attractive life in the army could be – such as "A Day in the Life of an Airforce Officer", "A Day on a Minesweeper", etc. This took me to many interesting and sometimes dangerous places. I still stayed a Non-British subject in spite of my 4 years in England and being in the army, as the British regarded naturalisation as a civil matter, to be dealt with only after the war. Hence, paradoxically, for some time I still had to report to the local police before work – in full uniform!

Q: What were your plans for the future as the war was coming to an end?
Berko: We wanted of course to return to England with which we had formed strong ties before and during the war. However, not having been able to do any color work in India; knowing how far America was in advance in this respect, and being very interested in doing color, I wrote to Moholy-Nagy, the director of the Institue of Design – first called the "New Bauhaus" – with whom I had kept in touch and sent photographs, and asked whether I could not come for a short time to work with him, and primarily do color. He invited me to come as a teacher – the only way I could get a visa since for a born Hungarian the US quota for Hungary was nil. To my doubts whether I could teach as I had not done this before he answered that "it would be a poor teacher who would not learn from his students". So we naturally decided to come as soon as possible.

Q: Why did it take until 1947 that you could return to Europe?
Berko: The army had a complicated system of repatriation, based on the age at which you joined, and on the length of service. Hence it took a, for me interminable, time before a troop transport took us to – a very sad looking, rainy – Liverpool.

Q: How did you feel seeing Europe after the war?
Berko: Very sad, of course, and particularly depressing after a short visit, still in uniform, to Frankfurt, very much destroyed in 1947, where we went to see Mirte's relatives and my guardians. Much as we had detest-

ed the Hitler Regime and the unspeakable horrors it had committed, one could not but feel sorry for the innocent millions who had been drawn into its net, and had to suffer for it. Mirte's mother's house and our own, being somewhat outside Frankfurt, had miraculously not been damaged. Of course it was very touching to see our relatives again. I was able to help my fosterfather at a de-nazification hearing in Wiesbaden. Although as an industrialist he somehow had to go along with the regime, he had never been a Nazi – his wife had helped a great number of people to escape from the terror – and I was very happy to be in a position to somewhat repay the kindness they had shown to me. We had a short vacation in Switzerland. I shall never forget the elation of seeing the beauty of the apple and cherry blossoms in bloom – something I had not been able to see in India, beautiful as it was – and I am, in fact, to this day, going to try to do a photo essay on it – so far we always came at the wrong time...

Q: You said the time between the end of the war and your repatrition was a frustrating one?
Berko: It was, since I had, so to speak, to sit it out, and was unable to do any photography of my own. But it was interesting from the political point of view as it marked the transition to Indian independence. We always had had many Indian friends, especially as they had recognised at once that we were not British, and visited them a lot at their homes and saw them at the Wellington Club, which was the only one where Indians – who mostly had to be very wealthy – could be members. Also, at that time, more Indian photographs of mine were published internationally; Steichen e.g., saw to it that "U.S. Camera" brought a double page of my Indian Faces.

Q: While you were in London, and before leaving for America, you had some more professional success?
Berko: Yes. The beautiful Swiss magazine "Du" published a portfolio of my photographs of India; Bill Brandt made a selection for a portfolio in "Lilliput", and the Victoria & Albert Museum had an exhibition of a set of beautiful South Indian bronzes which I had taken for various collectors.

Q: So actually you had quite a name by that time in the world of photography?
Berko: Well, the multitude of my work published in magazines contributed quite a bit to become acquainted with my name in the photographic world. Nevertheless, although Moholy had died by this time, his wife and the new director of the Institute of Design, Serge Chermayeff, urged me to come, and since I was as keen as ever to work in color, and we had the visas, we left England for what we felt would be a short time only.

Q: What were your duties and experiences at the Institute of Design?
Berko: Firstly, teaching photography according to the curriculum as practised there; secondly doing some filming with the students, mainly of the Institute's activities; and, lastly, giving a series of weekly lectures on the history of the film, a task for which I had to work very hard. The films themselves I got from the film library of the Museum of Modern Art and occasionally elsewhere, amongst them a very interesting one done by Weegee, known only as a photographer; these evenings were well attended and were quite a success.

Q: Who else taught with you at the Institute of Design?
Berko: Arthur Siegel had been appointed by Moholy as head of the Photographic Department. He, in his turn, brought a fellow Detroiter, Harry Callahan, to the faculty.

Q: This stay in Chicago wasn't a very happy time for you and Mirte?
Berko: After 10 beautiful years and a rather spoilt time in India we detested Chicago. It was bitterly cold and windy in winter, boiling hot in summer; the people were rude; we lived in what was really not more than one small room on a miserable salary; and the students were mostly on a GI bill, and not really interested in photography, and did not work hard, I was probably not a good teacher, as this was my first experience. I was also not in the company of dedicated teachers in our department, but individuals who, like myself, were mostly interested in their own work, and kept it, and themselves, to themselves. I would of course have greatly benefitted if Moholy had still been alive; but he was not; and, lastly, and very important to me, but

perhaps working at my advantage, was the fact that the Institute was not doing any color photography, which had been the main reason for coming to Chicago. However, since I was 100% enthusiasic about discovering the to me new world of color I worked most concentratedly on shooting color, mostly on everything where color, form and design were of primary importance, no matter what the subject. This semi-abstract way of seeing the everyday world has come later to be regarded as the beginning of modern color photography.

Q: Your friendship with Mr. and Mrs. Paepcke stems from this time?
Berko: Yes, Mr. Paepcke, who built up Container Corporation of America as one of the largest company of its kind, had made it possible for, at first Gropius, and then Moholy-Nagy, both of whom he liked and admired very much, to establish and run the then "New Bauhaus", later Instiute of Design, and they were charming and helpful to this new couple from a different world. They knew we were unhappy, and planning to return to Europe; but as at that time they had discovered and fallen in love with a small deserted mining town in Colorado – Aspen – not far from where they had a beautiful ranch, and as they were planning to make it a cultural center of worldwide renown, they wanted us to settle there and help building it up, as they previously already had persuaded Herbert Bayer to leave New York for Aspen. Mr. Paepcke proposed that Container Corporation would pay me a fair retainer fee to do film and photographic work for his company for part of the time, and, for another smaller fee, do publicity photographs and films for his ambitious undertaking in Aspen.

Q: But you all the same returned to London in the winter of 1948? Did you feel satisfied that you had reached the goal you had set yourself as far as color was concerned?
Berko: To answer your second question first: Yes, I felt I had immersed myself so much in color that I would be able to continue my work anywhere. As for your first question, we loved England and longed to return there. I had a 6-month contract with London Films to do photo stories on the making of the Powell-Pressburger film "The Return of the Pimpernel". They felt the money spent on my working on this would be more than worth it if they managed to get just one story in "Picture Post", then the only magazine of importance. It was an interesting challenge, well-paid, and would get us back to England.

Q: But you nevertheless later decided to accept Mr. Paepcke's offer. Was your decision perhaps motivated by the feeling that after a long odyssee you wanted to settle down and have a family?
Berko: It certainly was one of the reasons. And although working with Michael Powell had been a great experience, feature film work, with its intrigues, star problems, and especially Trade Union encounters was not to my liking. Moreover, we were enthusiastic about Paepcke's ambitious plans, had liked Aspen, where he had invited us in the summer of 1948 for 2 months, with its wonderful climate and great surrounding beauty, and felt it would be very interesting and gratifying to be a part of this extraordinary undertaking, and the right place to settle down.

Q: The widely publicised celebration in August 1949 was in honour of the 200th birthday of Goethe. It gave you the opportunity to photograph a large number of world-famous personalities from the fields of literature, philosophy and music – like e.g. Dr. Schweitzer.
Berko: Yes, indeed the Goethe bicentennial celebration was a wonderful beginning of our and Nora's, our first daughter's, life in Aspen. During the next year I travelled a lot in the States for Container Corporation, and it was in these years that I took a great number of color abstactions of the kind I had started out with in Chicago. They often were in series, such as field patterns, barns, reflections, house fronts, and close-ups of the designs of flowers, plants, small semi-precious stone etc. I was glad that these series met with great enthusiasm when I showed them at the 1st International Design conferenc, as men like Charles Eames, George Nelson, Ivan Chermayeff and others were way ahead of photographers and museum curators in their recognition of what modern color photography should be like. I felt also secure in the value of my work when, at the photo conference I organised for Mr. Paepcke in 1951, Beaumont Newhall got up after seeing my

slides and said he had a box of slides with him which he had considered to be the best of modern color photography (they actually were Arthur Siegel's!) but that now he was not going to show them. To this day I'm still grateful to him for this judgment.

Q: Let us go back to the photo conference. How did it come about, and what were its results?
Berko: Having filled out the summer months with the Design Conference and the Music Festival, Mr. Paepcke felt we should do something to attract people to Aspen in the very beautiful autumn month of September. (He never worried about the winter as he knew the skiing would take care of itself, and as he was not very interested in sports, anyway). Hence he suggested we should have a Photo Conference with a panel of America's top photographers who should attract a large audience of the enormous number of photo-enthusiasts and photographers of America. I felt that it was an excellent idea, and that I was sure we could get the majority of the most outstanding men and women photographers together: I warned him, however, that with the very early publication dates of the leading photo magazines, it would be too late to try for this fall to bring the news to a potential public, and that he should postpone it to next year. He, however, persisted in going ahead, and so we had an extraordinary meeting with, to name only some amongst others, photographers like Ansel Adams, Minor White, Dorothea Lange, Eliot Porter, Laura Gilpin, Frederic Sommer, Wayne Miller, Will Donnell, Nancy and Beaumont Newhall, John Morris, Herbert Bayer and Berenice Abbott. The attendance was, as I had predicted, very small – it was an "All Chiefs-and-no-Indians" affair, but it allowed for the most stimulating discussions, possible only in a relatively small circle.

Q: I read an article by James Enyeart, now the Director of the George Eastman Museum, that the conference organised by you, which nowadays he names "the famous photo conference in Aspen", had as the most important result the founding of "Aperture" – in its first issue Beaumont Newhall reported on the conference – with Minor White as its first editor. Others, too, still to this day, remember it as a legendary event.
Berko: Most likely the fact that there wasn't enough time to publicise it propably made this intimacy possible. However, Mr. Paepcke was dicouraged enough not to try it again – a great pity.

Q: Your second daughter, Gina, was born in 1952. Your professional and private life had taken roots. Apart from photographing the events in Aspen as well as the development of the town you had to travel a lot.
Berko: Yes, this is true for all Freelancers – only somewhat more difficult out of a place like Aspen, thousands of miles away in the high mountains.

Q: But you were also freelancing as a filmmaker?
Berko: Yes; I did films for Container Corporation of America, Westinghouse, Samsonite and others. I also did some film work for Charles Eames for a section – on Anne Morrow Lindhbergs's "Gift from the Sea" – for a film he did for CBS, and some stills for the first great multi-screen show on America he did for the Government, which was shown in Moscow. It was on 12 screens all synchronised with talk and music, and I believe the forerunner of all multiscreen shows.

Q: For all these many years you were fully occupied with work for publicity corporate reports, magazines and advertising – was there any time left for your personal work?
Berko: I managed to do short trips to foreign countries, during which I photographed very intensively. This was a vital necessity in order not to be caught up in specialised fields and being pigeonholed. This was exactly why I decided, around 1951, not to take any more nudes.

Q: Portraits are a large part of your work. I read somewhere that you were one of the photographers, with Arnold Newman and Ansel Adams, who were asked to take the official portraits of the Carter administration.
Berko: Yes, this is true. Portraits always have been an important part of my work.

15

Q: Since when was your work "discovered" for exhibitions?

Berko: I was in group shows already in the 60's, but since 1967 – very belated – I felt, my color work was at last being recognised by the more official circles in the States. A color show at the Cincinnati Museum of Art toured in various galleries. The Amon Carter Museum in Ft. Worth gave me two exhibitions. The University of Texas, encouraged by Helmut Gernsheim had a color show of mine – mainly from the Gernsheim Collection, which has a large number of my photographs. Together with the formerly very wellknown commercial star photographer Anton Bruehl – the Center for Creative Photography, under James Enyeart, showed my color photographies in Tucson. And of course the Aspen Art Museum had a retrospect show of portraits of people who had visited the Aspen Institute – the other great and permanent creation of Walter Paepcke, world-wide by now – and it also had several other shows of mine.

Q: In 1989 you were invited by the Museum for Photography, Film and Television to a Symposium to celebrate the 150th anniversary of photography. It was called "Makers of Photographic History". You were together with Gordon Parks, Arnold Newman, Giselle Freund, Horst P. Horst and photographers for the legendary "Picture Post". At that time you talked to many young participants. Now you are an Honorary Invitee at the Rencontres Internationales de la Photographie in Arles, where you have a beautiful retrospective exhibition. Here again you talked with many young artists. What is your opinion of this generation of young photographers?

Berko: I think young photographers – the good ones – are basically not different from what I was at their age. They are on the quest of new and better ways and possibly new forms of expression. I do have somewhat the feeling that the urge to be original at all costs is sometimes so strong that some of the discipline and the quality necessarily suffers.

Q: Many of the photographs shown in your retrospective are already in museums and collections. How do you feel about the fact that here in Arles, a large public is enthusiastic about Ferenc Berko's work and regards it as a discovery?

Berko: Very happy and grateful.

EXPLORER IN BLACK AND WHITE

Colin Ford

The First World War transformed Europe in general, and Hungary in particular. Within two years of its end, the monarchy had collapsed and several regimes followed it into ignominious oblivion. The 1920 Petit Trianon Treaty reduced the area of the country by two-thirds.

Overnight, tens of thousands of ethnic Hungarians found themselves citizens of Romania, Yugoslavia, and Czechoslovakia. Moving into what was left of Hungary, they met shortages of work, houses and money. True, they stimulated an artistic and cultural explosion, but this scarcely compensated for severe poverty and political turmoil. Many were soon on the move again, settling throughout Europe and the Americas.

The Berko family went to Germany. There, Ferenc took his first schoolboy photographs, acquired a Leica, and met his fellow Hungarian, László Moholy-Nagy. Two of the earliest pictures in this book, Street Car and Wagon, taken when Berko was only sixteen, might almost be by Moholy-Nagy, who was particularly fond of such overhead angles, which could conjure abstractions from even the busiest scenes. He was the leader of this "New Objectivity" visual style. But the younger man clearly had an eye of his own, and had already mastered the newly-available 35mm camera.

Perhaps Berko knew the work of other Hungarians. The shimmering, impressionist shapes of Bicycle Riders, for instance, remind one of André Kertész's pictures of swimmers, taken fifteen years earlier. Berko's scenes of village life reflect the popular "Magyar" style of the time: picturesque and rather touristy.

If Berko did not consciously follow such Hungarian models, he shared their background, and perhaps the same influences. Kertész, for instance, has vividly described the magazines of his childhood, full of engravings of domestic and rural life. Such "little happenings" as he called them — everyday scenes rather than news-making dramas — are the mainspring of Kertész's work, and inform much of the black-and-white photojournalism of Berko and his contemporaries.

By 1933, Berko was in England, still photographing people and ordinary life, always from oblique angles and always without confrontation. One senses the gentle and unobtrusive presence of an outsider, eager to record what he saw, to smile at it, but not to interfere. In England, too, he made his first documentary films; from now on, still and moving pictures both played parts in his life.

Berko's outsider's eye really came into its own in India, where he went as a film cameraman in 1938. One of the first to bring an European eye and small-format aesthetic to the sub-continent, he led the way for, among others, Cartier-Bresson (who first came to photograph in India in 1947, just as Berko left for England and America).

It was Moholy-Nagy who invited Berko to the USA, to teach at the Chicago Institute of Design, where the traditions of the Bauhaus were kept alive. He continued to take black-and-white street photographs, but he was now in a New World: aggressive, brash and colourful. His photography, too, would have to change. The pantheon of masters of twentieth century photography includes an astonishing number of those who emigrated from Hungary between the two World Wars: Lucien Aigner, Robert and Cornell Capa, André Kertész, Brassai, László Moholy-Nagy, Martin Munkácsi, Nickolas Muray. The name of Ferenc Berko must now be added to the list, partly for the surprising quality of his black-and-white photojournalism.

A PIONEER OF MODERN COLOR PHOTOGRAPHY

Helmut Gernsheim

This is the first book devoted to the life and work of one of America's great photographers. For over fifty years Franz Berko has been engaged in the photography of man and nature creating an important opus in several fields.

Berko is one of the leading names in colour photography – a field which he helped to pioneer in 1948/49 when other professionals were still sceptical about the advantages of colour. He was then teacher at the Institute of Design in Chicago. Wherever his colour images are exhibited today, as in Arles this summer, at the Universities of Texas and Arizona, in his home town Aspen, Colorado, or at the Photokina – to mention only a few exhibitions of the past dozen years – Berko's early abstractions of nature strike the beholder as a novel experience.

Each photograph is a fragment of nature, yet Berko's close-ups are rather abstractions of fragments. The subjects he chose had not attracted others before him: peeling posters; the cluster of emergency ladders "decorating" most of the simpler housing tenements in Chicago; crumbling wall surfaces; the designs on butterfly wings; water reflections; the patterns on petrifications and fossils; the colourful plumage of tropical birds; barn doors and windows etc. The magic feeling of these images lies in Berko's concentration on one motif and its isolation from the context. The stranger the effect of isolation, the more surreal is the impression on the onlooker.

Because of the aim of the book – and the exhibition which accompanies it – to show Berko as a pioneer and to prove that in whatever field he worked he was mostly ahead of his time the selection of colourplates in this book is perhaps to exlusively based on Berko's early colour work ignoring the sweeping sand deserts of New Mexico with there knife-sharp shadow lines, the hundreds of fine American landscapes, and the brilliant colour reportages taken in Sri Lanka, Marocco, Mexico, Japan, Haiti und Bali.

The aim to show Berko as a pioneer also explains the selection of Berko's delicate and silhouette-like nudes in monochrome of the fifties, whereas his professional activity was largely devoted to portray famous men in science and the arts who came to the International Summer Conferences of the Institute for Humanistic Studies at Aspen. They are expressive, unposed faces, mostly shot with a telephoto lens during the meetings; A comparison with the well-known portraits of Philipp Halsman is by no means far fetched.

My acquaintance with Franz was rather unusual and dates from October 1977 at Frankfurt airport. He had arrived from Aspen a few days before and was awaiting my return from a journey through Iraq and Iran. Over the breakfast table at the restaurant Franz showed me a large selection of small prints from a recent journey he had made through Marocco, and also fascinating close-ups of nature. I was quite overcome by his great vision and enthusiastic about the splendour of his colour and of his unfailing eye for essentials in his astonishing abstractions.

Unfortunately, at that moment I could assist Franz only with a few names of friends who being equally moved did their best to further his interests until I could curate exhibitions in the USA and mobilize the Gernsheim Collection at Austin, Texas. Franz's extraordinary images had strengthened my wish to get a deeper insight into his work. Above all I needed to see larger prints and under a more peaceful atmosphere than an airport restaurant. The opportunity arose earlier than expected.

When I was in Austin the following May Franz made me the offer of an extensive car trip of the South if I could meet him at Phoenix airport. I did and in 12 days we visited and photographed the most beautiful scenic sights and the most outstanding monuments of Indian culture in Arizona, New Mexico and Colorado. In the evenings at the hotel I studied his photos, several hundred of which accompanied us in the boot of the car. For me the wonders of nature, the architecture of ancient Indian cliff villages, and Berko's beautiful prints were an unforgettable journey of discovery. How was it possible that they had evaded me for so long? Remember, it is never too late to learn.

ACKNOWLEDGEMENTS

Ferenc Berko

For their moral support at one time or other I wish to thank the Aspen Institute for Humanistic Studies, Cornell Capa, Owen Edwards, James Enyeart, Colin Ford, Helmut Gernsheim, Renate und Fritz Gruber, Manfred Heiting, Bill Jay, Rudolf Kicken, Bernd Lohse, Jay Meisel, Beaumont Newhall, Allan Porter and Phillip Yena-wine.

With gratitude I remember Alexey Brodovitch, Charles Eames, E.O. Hoppé, André Kertész, László Moholy-Nagy, and George Nelson.

Special Thanks go to Robert O. Anderson for the limited edition of the Arco Portfolio of Dye Transfers and to all the editors – too numerous to mention – who from 1936 onward have published my photographs and articles in their magazines and books.

Karl Steinorth (Herausgeber)

Ferenc Berko
60 Jahre Fotografie

Mit Beiträgen von
Colin Ford und Helmut Gernsheim

FERENC BERKO

60 JAHRE FOTOGRAFIE « THE DISCOVERING EYE »

To my wife Mirte
for her unfailing faith in me

Ferenc Berko

INHALT

VORWORT

Karl Steinorth

Mit dieser Veröffentlichung und der mit ihr verbundenen Ausstellung des Kodak Kulturprogramms geht mein lang gehegter Wunsch in Erfüllung, das Werk von Ferenc Berko in seinen wichtigen Bereichen im Zusammenhang zu zeigen und daran zu erinnern, wie tapfer und konsequent Berko sein Schicksal als junger Mensch gemeistert hat.

Ausstellung und Buch zeigen, daß trotz der Verschiedenheit der Arbeitsfelder und damit auch der Arbeiten eine Präsentation des Gesamtwerks richtig und geboten war. Neben der fotografischen Qualität verbindet alle in dieser Ausstellung gezeigten Arbeiten die Tatsache, daß Berko seiner Zeit zumeist voraus war.

Am besten ist dies auf dem Gebiet der Farbfotografie zu erkennen. Hier sah Berko Formen in der Farbe, die vor ihm so noch keiner gesehen hatte. Durch die Isolierung von Elementen eines Bildes schuf er neue Seherlebnisse. „In seinen Arbeiten ohne Auftrag" – so James Enyeart – „war es Berko möglich, den abstrakten Gebrauch der Farbe in einer sehr komplexen und außergewöhnlichen Weise zu untersuchen".

Daß ein Fotograf bereits Ende der 40er Jahre so modern mit Farbe arbeitete, hat viele Besucher der Ausstellung erstaunt. Die Jahreszahl unter den Ausstellungsbildern sei die echte Sensation, hörte man immer wieder von Ausstellungsbesuchern. Etwas ähnliches gilt für Berkos Aktfotos. Ihre Verbindung mit Strukturen – der Gebrauch von Linien und Schattenformen – griff einer späteren Sehweise bereits zu Ende der 30er Jahre voraus. Seine Aktaufnahmen waren, als er sie schuf, eine ästhetische Innovation. Sicher ein Grund dafür, daß seine Aufnahmen in allen wichtigen Büchern über Aktfotografie mit vertreten sind.

Bei seinen Porträts schuf Berko neben klassischen Aufnahmen auch zahlreiche Porträts wie sie ein Bildjournalist auffassen würde – und dies bevor andere Fotografen die Reportageform als Stilmittel für Porträt- und Modefotografie mit Erfolg anwandten.

Einen wichtigen Platz in Berkos Gesamtwerk nimmt sein bildjournalistisches Schaffen in Europa und Indien ein. Die Aufnahmen weisen ihn als einen Fotografen aus, der in der Tradition der großen Bildjournalisten jener Zeit steht. Auch bei diesen Aufnahmen läßt sich nicht verleugnen, daß Berko in seinen Entwicklungsjahren von der damals in Deutschland tonangebenden „Neuen Sachlichkeit" in der Fotografie stark beeinflußt war.

Die Chance, Ferenc Berkos fotografisches Gesamtwerk anhand von exemplarischen Beispielen aus den verschiedenen Gebieten zu präsentieren, ergab sich im Zusammenhang mit den 22. Rencontres Internationales de la Photographie in Arles. Zur Tradition dieses Foto-Festivals gehört stets auch die Rückschau auf Leistungen großer Meister der Fotografie. Eine Ausstellung ihres Werks und ihre Einladung sind zugleich Ehrung und eine Bereicherung des Festivals.

Ich habe vielen zu danken: Ray DeMoulin, Cornell Capa und Dr. Thomas N. Stemmle dafür, daß sie den Plan einer Berko-Ausstellung und eines Berko-Buchs sofort unterstützt und mir damit Mut gemacht haben. Besonders aber danke ich Ferenc Berko dafür, daß er stets hilfsbereit und geduldig das Projekt unterstützt hat.

FERENC BERKO: EIN EUROPÄISCHES SCHICKSAL

Gesprächspartner: Dr. Karl Steinorth
Ein Interview mit Ferenc Berko in Arles am 10. Juli 1991

Frage: Sie wurden am 28. Januar 1916 in Großwardein (Nagyvárad), einer Kleinstadt – damals noch in Österreich-Ungarn, heute in Rumänien Ore Dea Mare – geboren. Ihre Mutter starb, als Sie gerade zwei Jahre alt waren. 1921 – Sie waren gerade fünf Jahre – ging Ihr Vater zusammen mit seiner Mutter und Ihrer Schwester nach Dresden. Damals gingen viele Intellektuelle, Künstler und Liberale aus Ungarn fort, weil sie nicht unter dem erzkonservativen und reaktionären Horthy Regime leben wollten. War dies auch der Grund bei Ihrem Vater oder standen berufliche Beweggründe im Vordergrund?

Berko: Beides. Mein Vater – seine Familie war ursprünglich jüdisch, dann aber zum Calvinismus übergetreten – war ein Agnostiker. Er war nicht direkt an Politik interessiert, aber nach seinem ganzen intellektuellen Zuschnitt ein Liberaler. Er war ein Schüler von Freud und Facharzt für Nervenkrankheiten. Viele seiner Arbeiten sind in wissenschaftlichen Veröffentlichungen und Büchern erschienen. Er sah die Gefahren einer rechten Diktatur und begrüßte deshalb die Chance, Leiter der psychiatrischen Abteilung einer sehr bekannten Klinik in einem vornehmen Dresdner Vorort zu werden. Ihn reizte zweifellos das liberale Klima der Weimarer Republik.

Frage: Hat sich Ihr Vater sehr viel um Sie gekümmert?

Berko: Soviel wie er konnte. Aber hauptsächlich kümmerte sich meine Großmutter um uns. Er steckte tief in den Problemen seiner Patienten und verfaßte auch laufend ausführliche Berichte über seine Fälle für wissenschaftliche Fachzeitschriften. Obgleich beruflich sehr überlastet und auch nicht gesund, war er mit uns soviel wie nur eben möglich zusammen und hat uns sehr darin bestärkt, Sprachen zu lernen. Er hat dafür gesorgt, daß wir unsere Onkel in Österreich und im Süden von Ungarn besuchten, wo ihnen ein großes Gut mit viel Weinanbau gehörte. Sie züchteten Weinreben, die besonders resistent gegen Schädlinge waren und versandten sie in alle Welt.

Frage: Nach dem Besuch der Volksschule kamen Sie 1926 auf ein Gymnasium in Dresden. Wie viele Jungen in Ihrem Alter bekamen Sie damals einen Fotoapparat als Geschenk.

Berko: Es war eine Kolibri, die ich von Anfang an sehr viel benutzt habe, denn ich war damals schon sehr an Fotografie und am Filmen interessiert. Ich erinnere mich daran, daß ich viele Aufnahmen in der Schule von Schulfreunden und Lehrern gemacht habe.

Frage: 1930 starb Ihr Vater nach langem Leiden. Er hatte aber zuvor noch für die Familie gut vorgesorgt.

Berko: Ja: Zwei Jahre vor seinem Tode hatte er mich nach Berlin zu einem befreundeten Unternehmer und seiner Frau, die eine Zeitlang seine Patientin gewesen war, gegeben. (Meine Schwester war in einem Schweizer Internat und hat später bei der berühmten Mary Trümpy Tanz studiert.) Meine Pflegeeltern gehörten zu der großen Familie des Gründers der Adler-Werke, die zunächst damals sehr berühmte Autos machten. Das Werk wurde im 2. Weltkrieg durch Bomben völlig zerstört, aber hat sich später durch die Produktion von Schreibmaschinen einen Namen gemacht.

Frage: Als Sie 1928 nach Berlin kamen, war diese Stadt für Sie ein großes Erlebnis?

Berko: Ja, Berlin wurde zwei Jahre lang meine Heimat, bis meine Pflegeeltern aus geschäftlichen Gründen nach Frankfurt ziehen mußten, wo die Adler-Werke waren. Berlin war damals für eine kurze Zeit die in der Welt führende Stadt für Theater, Musik und Film und viele berühmte Künstler und Architekten wie Moholy-Nagy, Walter Gropius, Marcel Breuer und Hans Peolzig gingen bei meinen Eltern ein und aus.

Frage: Von 1929 bis 1933 lebten Sie in Kronberg bei Frankfurt und gingen nach Frankfurt aufs Gymnasium. Was sind Ihre Erinnerungen an diese Zeit?

Berko: Wie in Berlin kamen auch hier viele bekannte Persönlichkeiten aus der Kunstszene zu uns nach Hause. Vor allem aber wandte ich mich in Frankfurt intensiv der Fotografie zu. Ich bekam eine Leica geschenkt und konnte mir eine winzige Dunkelkammer einrichten, wo ich Filme entwickeln und Abzüge machen konnte. Ich traf damals Fotografen wie Hein Gorny und Dr. Paul Wolff, den Pionier der Leica Fotografie.

Frage: Woran denken Sie noch, wenn Sie sich an die Jahre in Frankfurt erinnern?

Berko: Die Frankfurter Jahre waren glückliche Jahre für mich, weil ich damals Mirte, meine spätere Frau (wir heirateten 1937 in London) kennenlernte und mich sofort in sie verliebte. Mit einigen gleichaltrigen Freunden fuhr sie jeden Tag mit dem gleichen Zug nach Frankfurt, wo sie bei Professor Klimt an der Modeabteilung der berühmten Staedel Kunstschule studierte. Wir spielten Tennis zusammen und ich besuchte sie oft bei ihrer italienischen Mutter und ihren beiden Schwestern. Ihr deutscher Vater, ein Offizier, war am Ende des 1. Weltkrieges gefallen.

Frage: Den Kontakt zu Ihren Verwandten in Ungarn hatten Sie all die Jahre aufrecht erhalten?

Berko: Die Sommerferien habe ich stets bei ihnen verbracht. Ich habe gerade wieder alte Fotos angesehen, die ich damals in Ungarn gemacht habe. Bilder, die sowohl die typische Landschaft Ungarns, die wunderschöne Stadt Budapest und auch das Judenviertel dort zeigen. Die andere Entwicklung, die zu Ende meiner Frankfurter Zeit immer bedrohlicher wurde und alles andere überdecken sollte, war das Aufkommen der Nazis mit ihren Kriegsplänen und ihrem Antisemitismus.

Frage: Giselle Freund hat in ihren Erinnerungen aus studentischer Sicht über das Frankfurt nach der Machtergreifung der Nazis berichtet. Wie erlebten Sie das Jahr 1933?

Berko: Ich glaube, meine Adoptivmutter sah am klarsten, was Hitler für Deutschland und die Welt und was sein Antisemitismus für mich als einen Nichtarier bedeuten konnte. Sie war mit vielen Künstlern und Architekten befreundet, die in den Folgejahren Deutschland verlassen mußten oder freiwillig verließen und die sehr früh sehr klar sahen, wohin die Reise mit Hitler gehen würde. Es gab damals zwar einige und mein Adoptivvater gehörte dazu – die glaubten, daß der braune Spuk bald vorüber sei, aber auch viele, die die Katastrophe auf Deutschland zukommen sahen. Es war vor allem die Entscheidung meiner Adoptivmutter, mich 1933 zur weiteren Ausbildung nach England zu schicken. England war mir bereits vertraut, weil ich im Rahmen eines Schüleraustausches dort gewesen war und es mir damals sehr gut gefallen hatte. Später kam Mirte ebenfalls nach London, wo sie ihre Modeausbildung fortsetzte und ging mit mir nach Paris, wo sie als Praktikantin bei Modehäusern und als Modell arbeiten konnte.

Frage: Sie besuchten zunächst eine Grammar School, um sich auf ein mögliches späteres Studium vorzubereiten. Diesen Plan haben Sie aber dann zu Gunsten des Berufs eines Fotografen und Kameramanns aufgegeben. Wie kam es dazu?

Berko: Ich beschäftigte mich immer mehr mit der Fotografie. Meine normale Ausbildung verlagerte sich demzufolge immer mehr in Sonderkurse und Kurse im Rahmen der Abendschule an der Londoner Universität, z.B. hörte ich Vorlesungen des damals sehr bekannten Philosophen C.E.M. Joad. Ein Glücksfall war, daß ich damals E.O. Hoppé kennenlernte, der ja ursprünglich aus München stammte. Er gehörte zu den bekanntesten Porträtfotografen, der viele Aufnahmen von Mitgliedern des Königshauses machte. Er war auch ein großer Reisefotograf und der Autor vieler Bücher. Er war es, der mir, nachdem er Fotos von mir angeschaut hatte, Mut machte, die Fotografie weiter ernsthaft zu betreiben und Berufsfotograf zu werden. Er gab mir den Rat, mich vor allem dem Gebiet des Bildjournalismus zuzuwenden. Ich sollte doch mal mit einer Reportage über London, die Stadt und ihre Menschen beginnen. Eine Aufnahme aus einer Serie vom Themse-Ufer – eine Gegenlichtaufnahme – gefiel der englischen Leitz Vertretung so gut, daß sie sie als Riesenvergrößerung ausstellte, um damit zu demonstrieren, was die damals in England noch nicht sehr bekannte Kleinbildfotografie – vor allem aber die Leica – leisten konnte.

Frage: Ein weiterer fotografischer Erfolg in dieser Zeit war ein erster Preis in einem Fotowettbewerb. Was hatte es damit auf sich?

Berko: Die Firma Boots ist in England eine Filialkette von Fachdrogerien, zu deren Sortiment aber schon immer sehr prominent die Fotografie gehörte. Im Krönungsjahr schrieb sie einen großen Wettbewerb aus für das Foto, das die Krönungsfeierlichkeiten am besten wiedergeben würde. Ich hatte zu diesem Wettbewerb eine Aufnahme eingereicht, auf der Menschen in einem ärmeren Viertel von London auf der Straße tanzten, nicht weit von Hampstead, wo ich damals wohnte. Die Nachricht von dem 5000-Pfund-Preis erreichte mich in der Schweiz, wo ich bei Verwandten zu Besuch war. Der Preis, das kann ich heute rückschauend sagen, war sicher mit ausschlaggebend dafür, daß ich weiter meinem Ziel folgte, direkt Fotograf und Filmemacher zu werden und nicht erst einen anderen, „seriöseren" Beruf zu erlernen, wie dies mein Onkel in Ungarn mir immer wieder riet.

Frage: In die Londoner Zeit fällt auch der Anfang Ihrer Tätigkeit im Bereich des Films?

Berko: Der Film hat mich schon in Frankfurt sehr interessiert. In London lernte ich zwei junge Engländer kennen, von denen einer der Gründer und Redakteur eines Avantgardefilm-Magazins mit dem Titel „film art" war – beide Worte im Bauhausstil klein geschrieben! Ich schloß mich den beiden an; sie waren genauso wie ich für alles, was mit Film zu tun hatte, begeistert und hatten genauso wie ich praktisch kein Geld. Trotzdem drehten wir zusammen Filme mit einer Federwerks-Handkamera – einer Eyemo – mit der ich später auch noch in Indien und Amerika gearbeitet habe. Und wir kamen voran. Unsere ersten Erfolge hatten wir, als uns der Finanzier von Korda's London Films, der selbst eine kleine Gesellschaft, genannt Epidaurus Trust, gegründet hatte, den Auftrag gab, kleine kurze Dokumentarfilme zu drehen. „Shorts" wie man sie nannte; sie liefen zusammen mit der Wochenschau vor dem Hauptfilm. Wir dachten uns einfache kurze Geschichten aus wie z. B. die Geschichte eines kleinen Mädchens, das im Hyde Park irgendwie von seinen Eltern getrennt wird und das dann am Ende von einem freundlichen Bobby wieder zu den Eltern zurückgebracht wird. Wir filmten natürlich nur bei vorhandenem Licht. Wenn diese Filmerei auch kein Geld brachte, so haben wir damals doch sehr viel gelernt.

Frage: Von 1933/34 an haben Sie sowohl in London als auch in Paris gelebt?

Berko: Ja, wir bekamen damals die Aufenthaltserlaubnis immer nur für ein halbes Jahr, und so gingen wir im Wechsel ein halbes Jahr nach England und ein halbes Jahr nach Frankreich. Wenngleich wir Paris damals wunderschön fanden, waren wir in Sorge, ob die französische Bürokratie uns nicht kurzfristig zwingen würde, Frankreich zu verlassen.

Frage: Sie sagten, Mirte arbeitete als Volontärin in verschiedenen Pariser Modehäusern. Was machten Sie in Paris?

Berko: Ich erreichte, daß ich als Volontär bei einer französischen Filmproduktionsgesellschaft arbeiten konnte, denn mir war klar, daß ich, wenn ich den Beruf eines Kameramanns ergreifen wollte, wesentlich bessere Kenntnisse der Beleuchtungsführung vor allem bei Kunstlicht und anderer Dinge haben mußte, die man nicht bei der Produktion unserer kleinen Dokumentarfilme lernen konnte. Alle freie Zeit benutzte ich in Paris, um zu fotografieren. In diese Zeit fielen auch meine ersten Versuche auf dem Gebiet der Aktfotografie. Für die Aufnahmen, die wir wenn immer möglich am Strand machten, war Mirte meist mein Modell. Oder aber wir fanden Modelle in den französischen Revuetheatern, die wir dann mit sehr primitiven Beleuchtungsmitteln und Hintergrunddekorationen in unserer Wohnung aufnahmen. Ich war damals sehr froh, daß der Redakteur des Buchs „Leica Fotografie in aller Welt" zwei meiner Fotos für den 1938 in Deutschland erschienenen Band auswählte und mich außerdem bat, einen kurzen Text über die damalige Fotografie in Frankreich zu schreiben. Meine Fotos erschienen auch in Zeitschriften wie „Photography" und „The Naturalist" in England und dem „Paris Magazine", das eine große Auflage hatte. Es schien, daß mir die Aktfotografie sehr lag und ich hatte natürlich in Mirte auch ein sehr gutes Modell.

Frage: Noch einmal zurück zu Ihrer Londoner Zeit. Sie hatten auch Kontakt zu Künstlern und Architekten, die als Emigranten nach England kamen und die Sie noch als Gäste im Haus Ihrer Adoptiveltern kennengelernt hatten.

Berko: Ich traf eine Reihe von ihnen in London wieder, z. B. Moholy-Nagy, Kepes, Breuer und Gropius, die dann später in die USA weiter emigrierten. Sie waren alle sehr freundlich zu mir, hilfreich und interessiert. Sie gaben mir Ratschläge, obwohl Ratschläge nicht immer das waren, was ich hören wollte. So riet mir Moholy-Nagy, genau wie mein ungarischer Onkel, nicht nur auf den Beruf des Fotografen zu setzen, sondern mich zur Sicherheit doch noch einer anderen Berufsausbildung zu unterziehen. Weder die äußeren Bedingungen noch mein konzentriertes Interesse an Fotografie und Film ließen mich aber diesen Ratschlägen folgen.

Frage: Wie kam es zu Ihrem Entschluß, nach Indien zu gehen?

Berko: Mirte und ich waren überzeugt davon, daß es über kurz oder lang in Europa zu einem Krieg kommen würde, und wir dann im günstigsten Fall mit einer Internierung rechnen mußten, was das vorläufige Ende meiner Berufspläne gewesen wäre, auf die ich mich doch all die Jahre intensiv vorbereitet hatte. Die Hilfe kam durch einen Klassenkameraden, der wie ich ebenfalls nach England hatte gehen müssen und der direkt neben uns in Hampstead wohnte. Sein Vater, ein Professor der Dermatologie an der Frankfurter Universität, hatte als Jude Deutschland verlassen und sich in Bombay eine sehr erfolgreiche neue Existenz aufgebaut. Er kannte in Indien sehr viele Leute, darunter auch einen indischen Filmproduzenten, der neun Jahre bei der UFA in Berlin gearbeitet hatte und in Indien eine sehr erfolgreiche Filmfirma gegründet hatte. Er wollte europäische Techniker haben, um die Qualität seiner Filme zu verbessern. Er bot mir einen Jahreskontrakt als Kameramann an. So fuhren wir im Frühjahr 1938 nach Indien, in einen neuen Beruf und eine neue Welt.

Frage: War es sehr schwer nach Indien einzuwandern? Aus den Jahren vor dem 2. Weltkrieg weiß man doch, wie schwer es Emigranten oft hatten.

Berko: Ich erinnere mich an keinerlei Schwierigkeiten. Ich hatte einen gültigen ungarischen Paß und einen mit einer indischen Firma geschlossenen festen Arbeitsvertrag als technischer Spezialist.

Frage: Was war der erste Film, bei dem Sie als Kameramann arbeiteten?

Berko: Es war die Fortsetzung eines Films, in dem der Produzent sehr erfolgreich den berühmten Tarzanfilm nachahmte. Ich kann mich noch gut erinnern, wie ich an meinem ersten Arbeitstag mit einem kleinen Wagen abgeholt wurde, und plötzlich neben einem Schimpansen saß, einem der Stars des Films sozusagen, der mich mit freundlichen Grimassen und im wahrsten Sinne des Wortes, mit offenen Armen begrüßte.

Frage: Die indische Filmfirma drehte aber nicht nur im Studio, sondern machte auch Außenaufnahmen?

Berko: Ja, viele der Filme wurden außerhalb von Bombay in ganz verschiedenen Gegenden des Landes gedreht. Als geplant wurde, daß Aufnahmen in Kaschmir, Darjeeling und Sikkim gemacht werden sollten, dachte ich mir, daß so eine Gelegenheit möglicherweise nie wieder kommen würde und Mirte uns begleiten sollte, obwohl wir uns diese Extras eigentlich nicht leisten konnten. So haben wir viel gesehen, was sich in den Folgejahren verändert hat. Wir hätten auch nie Sikkim sehen können, das für Ausländer genauso wie Tibet gesperrt war. Wir haben wunderbare Erinnerungen an diese Reisen, und natürlich auch sehr viele Aufnahmen. Einen Einblick in das alte Indien bot die Reise an einen indischen Fürstenhof. Mein Produzent hatte von der Movietone Wochenschau den Auftrag, einen Bericht über die Hochzeit des Sohns eines Maharadschas zu drehen. Der Grund für das Interesse der englischen Wochenschau war, daß der junge Ehemann ein bekannter Kricketspieler war. Ich habe hier eine indische Hochzeit im alten Pomp mit Elefanten und vielen Delegationen von anderen befreundeten Fürstenhöfen erlebt – ein wunderbares einzigartiges Erlebnis.

Frage: Nach knapp zwei Jahren eröffneten Sie Ihr eigenes Fotostudio im Gebäude und in Zusammenarbeit mit der führenden britischen Werbeagentur D.J. Keymer.

Berko: Obgleich ich länger als Kameramann bei der Filmfirma blieb als zunächst vereinbart, wurde mir immer mehr klar, daß ich zwar die Filme technisch besser machte, die Vertriebsfirmen aber meinen Produzenten zwangen, immer wieder die gleiche Art von Filmen zu drehen. Trotz aller Risiken wollte ich doch gerne selbstständig sein, unterschiedliche Dinge tun und letztlich auch noch mehr als dies bereits der Fall war, für mich selber fotografieren. Abgesehen von meiner bildjournalistischen Arbeit und natürlich Industriefotografie und Porträtaufnahmen fotografierte ich indische Tempel, indische Tänzer und indische Bronzeskulpturen aus indischen und europäischen Sammlungen. Ich schickte damals sehr viele Fotos an internationale Redaktionen vor allem in England und Amerika und sah zu meiner Freude, daß immer mehr Bilder, darunter auch viele Aktfotos von mir veröffentlicht wurden. Zum Beispiel in „Lilliput" in England, in der „US Camera", „Popular Photography", „Modern Photography" und „Coronet" in den USA. Zusammen mit dem Art Director der Werbeagentur konzipierte ich einen Fotobildband über Indien, für den der damals sehr bekannte Rumer Godden einen Text geschrieben hatte. Zu meinem großen Kummer wollte es das Unglück, daß der Verleger Batsford, der das Buch veröffentlichen wollte in London, ausgebombt und mein Buch vernichtet wurde.

Frage: Mit welchen Kameras arbeiteten Sie zu dieser Zeit?
Berko: In erster Linie mit der Leica und der Rolleiflex. Im Studio arbeitete ich auch mit einer alten wunderschönen hölzernen Studiokamera. Mir stand ein sehr erfahrener alter Fotograf aus Goa zur Seite, der die meisten meiner Filme entwickelte und die Abzüge machte; obgleich es in der winzigen Dunkelkammer, die man nicht belüften konnte, unerträglich warm war, schien ihn dies nie zu stören. Er war wohl gewohnt, unter solchen Bedingungen zu arbeiten.

Frage: Sie haben damals auch ihre Liebe zur Aktfotografie weiter gepflegt?
Berko: Ja, viele meiner wohl gelungensten Aktfotos sind in diesen Jahren entstanden. Im Studio oder an einem einsamen Stand nicht weit von dem Bungalow, in dem wir am Meer lebten.

Frage: Ihren Unterhalt verdienten Sie damals nicht zuletzt mit Porträtaufnahmen. Wer ließ sich denn in dieser Zeit von Ihnen fotografieren?
Berko: Da ich damals der einzige europäische Porträtfotograf in Bombay, möglicherweise sogar in Indien war, kamen viele Europäer zu mir. Manche von der Armee, Geschäftsleute, Schriftsteller und Schauspieler, die aus Europa nach Bombay kamen. Auch sehr viele Inder kamen in mein Studio. Wir fotografierten Maharanis von indischen Fürstenhöfen, die von mir gehört hatten. Vor der Aufnahme schickten sie oft ihre persönlichen Diener mit einer riesigen Auswahl wunderschöner Saris und Kästen mit unglaublich schönen Juwelen, um sich von Mirte beraten zu lassen, was ihre „Hoheiten" tragen sollten, wenn sie sich von dem berühmten Fotografen aufnehmen ließen. Einige der Frauen waren sehr schön. Es war sicher außergewöhnlich, wenn sie von mir gebeten wurden, sich auf einen Liegestuhl zu legen, damit ich so die Porträts aufnehmen konnte. Ich hatte herausgefunden, daß so die Gesichter entspannter waren, und daß auch die Beleuchtung bei mir im Studio schöner war. Mirte half mir damals im Studio. Sie arbeitete auch bei der Zensurbehörde. Der englische Geheimdienst wußte mehr über uns und unsere Verwandten als wir selbst und hatte offensichtlich ihrer Beschäftigung als Übersetzerin und später ihrer Arbeit für das Rote Kreuz zugestimmt.

Frage: Das berühmte Dokumentarfilmteam von John Grierson in England beauftragte eine Reihe von führenden Werbeagenturen, Dokumentarfilme zu drehen, die dabei helfen sollten, Rekruten für die indische Freiwilligenarmee zu bekommen.
Berko: Ich habe zwei solcher Filme produziert. Bald darauf gründete die britische Regierung ein „Directorate of Kinematography", und ich wurde nach Jahren des Wartens in die Armee aufgenommen und Leiter einer Filmunit mit dem Rang eines Staff Captain. Unser Hauptquartier war in Delhi, aber die Produktionseinheiten waren in Bombay, glücklicherweise genau gegenüber meinem Studio. Mein Chef, ein Major, war so großzügig, mir von Zeit zu Zeit zu erlauben, in meinem Studio Porträtaufnahmen zu machen. Ich hatte auch das Glück, daß ich nicht für eine der Abteilungen arbeiten mußte, in der nur langweilige Trainingsfilme hergestellt wurden, sondern an Semidokumentar-Filmen arbeiten konnte, die zeigen sollten, wie interessant das Leben in der Armee sein konnte. (Filme wie „Ein Tag im Leben eines Luftwaffenoffiziers", „Ein Tag auf einem

Minensucher" usw.) Hierdurch kam ich an viele interessante und manchmal auch nicht ungefährliche Plätze. Ich war immer noch Ausländer, denn die indische Armee interessierte die Frage der Einbürgerung überhaupt nicht, sondern sah sie als ein Problem der Zivilbehörden an, das man durchaus bis nach Kriegsende ungelöst lassen konnte. So kam es zu dem paradoxen Ergebnis, daß ich mich weiterhin regelmäßig beim zuständigen Polizeirevier zu melden hatte; jetzt allerdings tat ich dies in einer englischen Offiziersuniform.

Frage: Welche Pläne machten Sie für Ihre Zukunft, als der Krieg seinem Ende zuging?
Berko: Wir wollten nach England zurückgehen, weil wir zu diesem Land eine enge Verbindung gewonnen hatten. Ich hatte aber außerdem noch einen großen Wunsch. Ich hatte in Indien nie auf dem Gebiet der Farbfotografie arbeiten können, und weil ich wußte, daß man da in Amerika einen großen Vorsprung hatte, schrieb ich an Moholy-Nagy, damals Direktor des Institutes of Design, das zunächst unter dem Begriff „Neues Bauhaus" bekannt geworden war. Ich hatte mit Moholy-Nagy immer Kontakt gehalten, und ihm auch Fotos geschickt. Ich fragte ihn, ob ich nicht für eine gewisse Zeit zu ihm kommen und bei ihm auf dem Gebiet der Farbfotografie arbeiten könnte. Er lud mich ein, als Fotodozent zu kommen, weil dies damals der einzige Weg war, wie ich mit einem amerikanischen Visum rechnen konnte, denn die Einwanderungsquote für Ungarn war fast bei null. Auf meine Bedenken, daß ich doch keine Erfahrung als Fotopädagoge hatte, schrieb mir Moholy-Nagy: „Ein Lehrer, der nicht von seinen Schülern lernen könnte, wäre ein sehr schlechter Lehrer". Nach dieser Antwort entschlossen wir uns, so bald wie möglich nach Amerika zu gehen.

Frage: Woran lag es, daß Sie erst 1947 wieder nach Europa zurückkehren konnten?
Berko: Das lag daran, daß die Armee, der ich ja damals angehörte, sehr langsam demobilisiert wurde und da ich ja erst sehr spät in die Armee eingetreten war, dauerte es für mich eine unerträglich lange Zeit, bis uns endlich ein Truppentransporter in ein sehr regnerisches und häßlich aussehendes Liverpool zurückbrachte.

Frage: Wie war das Wiedersehen mit Europa?
Berko: Eigentlich sehr traurig und besonders deprimierend nach einem Kurzbesuch, ich befand mich noch in Uniform, in Frankfurt, das ja 1947 immer noch ein Trümmerhaufen war. Wir besuchten Mirtes Verwandte und meine Pflegeeltern. So sehr wir auch das Naziregime und die undenkbaren Grausamkeiten, die von ihm begangen wurden, gehaßt haben, so taten uns beim Besuch in Frankfurt doch die vielen unschuldigen Millionen leid, die jetzt darunter zu leiden hatten. Das Elternhaus von Mirte und auch das meiner Pflegeeltern, die etwas außerhalb von Frankfurt lagen, hatten wunderbarerweise keine Kriegsschäden leiden müssen. Es war schon sehr ergreifend, unsere ganzen Verwandten wiederzusehen. Ich war auch in der Lage, meinem Pflegevater in der Entnazifizierungs-Phase in Wiesbaden zu helfen. Er war natürlich als Wirtschaftsführer in den Kriegsapparat mit eingespannt, jedoch war er nie ein Nazi gewesen und meine Pflegemutter hatte ja geholfen, daß eine große Zahl von Leuten aus Deutschland flüchten konnte. Ich war sehr glücklich, daß ich auch einmal etwas für meine Pflegeeltern tun konnte. Schließlich fuhren Mirte und ich in die Schweiz, um dort Urlaub zu machen. Ich werde nie vergessen, wie begeisternd das für uns war, die Schönheit der Apfel- und Kirschblüte zu sehen. Etwas, was ich nie in Indien hatte sehen können. Ich hatte vor, ein Fotoessay darüber zu machen – aber bisher habe ich nie die richtige Zeit erwischt.

Frage: Wie war denn die Zeit nach dem Kriegsende in Indien?
Berko: Beruflich war es für mich sehr frustrierend, weil natürlich kein interessantes Projekt mehr in Angriff genommen werden mußte und wie man so schön sagt, Dienst nach Vorschrift geschoben wurde. Da hat es mich natürlich sehr traurig gestimmt, daß ich kaum Zeit zum Fotografieren hatte. Andererseits war die Zeit politisch sehr interessant, weil in ihr ja der Übergang zur Unabhängigkeit von Indien vorbereitet wurde. Wir hatten zu Indern immer ein sehr gutes Verhältnis, ich glaube dies lag auch daran, daß sie ja wußten, daß wir keine Engländer waren. Wir verkehrten viel in indischen Familien oder trafen sie im Wellington Club, dem einzigen Club in Bombay, in dem auch wohlhabende Inder Mitglied sein konnten. Erfreulich war für mich, daß Aufnahmen aus Indien, die ich an verschiedene internationale Zeitschriften schickte, Anklang fanden.

Eine Doppelseite mit Aufnahmen aus meiner Arbeit „Indische Gesichter" wählte Edward Steichen damals für das Fotojahrbuch „US Camera" aus.

Frage: Hatten Sie berufliche Erfolge, als Sie wieder in London waren und bevor Sie nach Amerika gingen?
Berko: Besonders freute es mich, daß die Zeitschrift „Lilliput" ein Portfolio mit Fotos, die ich in Indien gemacht hatte, publizierte. Ausgewählt hat die Bilder kein geringerer als Bill Brandt. Und auch die Schweizer Kultur- zeitschrift „Du" brachte ein ausführliches Portfolio meiner indischen Aufnahmen. In Indien hatte ich viele Bil- der von indischen Bronzeskulpturen gemacht. Skulpturen, die ich in einer Reihe von Privatsammlungen foto- grafieren konnte. Diese Fotos stellte 1947 das Victoria und Albert Museum aus, was natürlich einen beruf- lichen Erfolg für mich darstellte.

Frage: Sie hatten damals ganz zweifellos einen Namen in der Fotowelt?
Berko: Dadurch, daß meine Fotos vielen Redakteuren der verschiedensten Zeitungen und Zeitschriften ganz offenbar gefallen hatten, wurden sehr viele meiner Fotos abgedruckt. Dies hat dazu geführt, daß auch viele Fotografenkollegen sich von meiner Arbeit ein Bild machen konnten. Trotzdem machten wir uns damals nach Amerika auf. Zwar war Moholy-Nagy leider in der Zwischenzeit gestorben, seine Frau Sybil und der neue Direktor des Institutes of Design, Serge Chermayeff, erneuerten jedoch die Einladung und rieten uns drin- gend doch zu kommen. Da ich ja nach wie vor unbedingt in Farbe arbeiten wollte, und da wir die schwierig zu erhaltenden Visa bekommen hatten, verließen wir England für eine, wie wir damals meinten, beschränkte Zeit.

Frage: Was war Ihre Aufgabe am Neuen Bauhaus?
Berko: In erster Linie war ich Fotodozent, der die Studenten so wie im Lehrplan vorgesehen an die Fotografie heranführen sollte. Weiter hatte ich zusammen mit Studenten auch praktische Filmarbeit zu leisten, meist Re- portagen über Ereignisse an der Schule. Letztlich hatte ich eine wöchentliche Vorlesung über die Geschichte des Films zu halten. Eine Aufgabe, für die ich sehr hart arbeiten mußte. Die Filme hierzu konnte ich meistens aus dem Filmarchiv des Museum of Modern Art und manchmal woanders ausleihen. Unter den gezeigten Fil- men war ein sehr interessanter von Weegee, den man ja eigentlich nur als Fotografen kennt. Diese Abende waren stets gut besucht und auch von der Sache her sehr erfolgreich.

Frage: Wer unterrichtete damals außer Ihnen noch Fotografie am Neuen Bauhaus?
Berko: Moholy-Nagy hatte noch Arthur Siegel zum Leiter der fotografischen Ausbildung ernannt. Siegel brachte dann aus Detroit Harry Callahan als Lehrer mit.

Frage: Chicago gehört nicht zu Ihren glücklichsten Erinnerungen?
Berko: Nach zehn, von den Lebensumständen hergesehen, herrlichen Jahren in Indien, konnten wir Chicago nicht ausstehen. Im Winter war es bitterkalt und windig und im Sommer sengend heiß. Die Menschen waren sehr unfreundlich. Wir lebten in einem kleinen Zimmer und die Bezahlung war sehr, sehr schlecht. Hinzu kam, daß viele Studenten damals nicht sehr zielstrebig in ihrem Studium waren. Die Tatsache, daß heimkehrende Soldaten kostenlos studieren durften, hat dies sicher mitbewirkt. Wahrscheinlich war ich aber auch kein be- sonders guter Lehrer, denn ich war ja auch nicht als Fotolehrer ausgebildet. Hinzu kam, daß wir damals nicht als ein Team begeisterter Lehrer arbeiteten, sondern alles Individualisten waren, und jeder seinen eigenen Kram machte. Vieles wäre natürlich anders gewesen, wenn Moholy Nagy noch gelebt hätte. Da Farbfoto- grafie überhaupt nicht auf dem Lehrplan der Schule stand, habe ich die Welt der Farbe damals für mich ganz allein entdeckt. Ich habe damals sehr konzentriert in Farbe fotografiert, wobei die Form und das De- sign der Gegenstände für mich im Vordergrund standen, und ich habe damit für mich eine semiabstrakte Sehweise entdeckt, die man später als den Beginn der modernen Farbfotografie angesehen hat.

Frage: In diese Zeit fällt Ihre Freundschaft mit dem Ehepaar Paepcke?
Berko: Ja, Walter Paepcke, der Gründer und Vorstandsvorsitzende der Container Corporation of America,

war es, der erst Gropius und dann später Moholy-Nagy, die er beide ungemein schätzte, ermöglicht hat, das „Neue Bauhaus", das dann später Institute of Design hieß, in Chicago aufzubauen. Sie haben sich, als wir 1947 nach Amerika kamen, ganz rührend um meine Frau und mich gekümmert. Wir waren in diesem Jahr viel mit ihnen zusammen. Sie wußten, daß wir in Chicago nicht glücklich waren und vorhatten, wieder nach London zurückzugehen. Er machte mir daraufhin einen Gegenvorschlag. Er lud mich nach Aspen in Colorado ein, um mir eine damals fast völlig verlassene kleine Bergwerkstadt zu zeigen, die er in ein kulturelles Zentrum verwandeln wollte. Die Paepckes hatten nicht weit von Aspen eine wunderschöne Ranch. Paepcke, dem es bereits gelungen war, Herbert Bayer von New York nach Aspen zu holen, wollte, daß meine Frau und ich auch dorthin ziehen sollten, um zu helfen, dieses Kulturexperiment voranzutreiben. Sein Angebot war sehr großzügig. Die Container Corporation würde mir ein Pauschalhonorar für Foto- und Filmaufträge zahlen und ein weiteres, kleineres Pauschalhonorar würde ich für die fotografische Dokumentation der Entstehung des Kulturzentrums bekommen, so daß dadurch auch Pressefotos für das Institut zur Verfügung stünden.

Frage: Dennoch sind Sie zunächst einmal im Winter 1948/49 wieder nach London gegangen. Hatten Sie das Gefühl, daß Sie damals Ihr Ziel, mit Farbe arbeiten zu können, erreicht hatten?
Berko: Ja, ich war so weit in der Farbe gekommen, daß ich diese Arbeit auch überall woanders fortsetzen konnte. Daß wir zunächst einmal nach London zurückgingen, hatte damit zu tun, daß wir England liebten und einfach wieder dorthin zurückgehen wollten. Ich hatte einen 6-Monats-Vertrag mit London Films, um die Entstehung des Powell-Preßburger Films „The Return of the Pimpernel" zu dokumentieren und zu versuchen, ob meine Fotogeschichte nicht von der Picture Post, dem damals wichtigsten Magazin in England, veröffentlicht würde. Eine sehr interessante Aufgabe und auch gut bezahlt.

Frage: In London haben Sie sich dann aber doch entschlossen, dem Angebot von Walter Paepcke zu folgen und nach Aspen, Colorado, zu gehen. Lag Ihre Entscheidung vielleicht darin begründet, daß nach Ihrer langen Odyssee in Höhen und Tiefen Ihres bisherigen Lebens bei Ihnen der Wunsch bestand, irgendwo Wurzeln zu schlagen und eine Familie zu gründen?
Berko: Das war sicher einer der Gründe für unsere Entscheidung. Und obgleich die Arbeit mit Michael Powell ein großes Erlebnis war, so merkte ich doch, daß die Arbeit für eine Filmfirma, bei der es natürlich Intrigen und Probleme mit Stars und außerdem auch Schwierigkeiten mit der Gewerkschaft gab, nicht das war, was ich auf Dauer machen wollte. Ausschlaggebend für unsere Entscheidung war aber, daß uns die Pläne, die Walter Paepcke für Aspen hatte, begeisterten, und wir großes Interesse daran hatten, Teil dieses kulturellen Experiments zu sein. Letztlich hatten wir bei dem zweimonatigen Besuch im Sommer 1948 in Aspen großen Gefallen an der wunderschönen Landschaft und dem guten Klima gefunden.

Frage: Schon bald nach Ihrer Ankunft fand in Aspen eine international beachtete 200-Jahrfeier für Goethe statt. Hier hatten Sie die Chance, berühmte Persönlichkeiten auf den Gebieten der Literatur, der Philosophie und der Musik zu fotografieren: Ihre Porträts von Ortega y Gasset, Thornton Wilder und Dr. Schweitzer entstanden damals.
Berko: Ja, die 200-Jahrfeier für Goethe war ein wundervoller Auftakt für unser Leben in Aspen. In diesem Jahr wurde auch unsere Tochter Nora geboren. In den nächsten Jahren war ich viel auf Reisen, um Aufträge für die Container Corporation of America auszuführen. In dieser Zeit habe ich weiter an meinen Farbabstraktionen gearbeitet, die ich in Chicago begonnen hatte. Scheunen, Spiegelungen, Farbmuster von Feldern, die Farbführung von Häuserfronten und immer wieder die Details von Pflanzen habe ich damals aufgenommen. Eine große Genugtuung war es, als ich diese Aufnahmen bei der ersten internationalen Designkonferenz in Aspen vorführen durfte. Denn für mich war die Zustimmung sehr wichtig, die meine Arbeit in diesem Kreis fand, denn Männer wie Charles Eames, George Nelson, Iwan Chermayeff und andere waren, was die Einschätzung der Fotografie anging, damals den Museumsleuten weit voraus. Besonders glücklich war ich aber auch, als ich einige Zeit später meine Farbabstraktionen auf der Fotokonferenz 1951, auf die wir sicher noch zurückkommen, vorgeführt hatte und kein geringerer als Beaumont Newhall aufstand und er-

klärte: „Nachdem wir diese Farbabstraktionen gesehen haben, möchte ich darauf verzichten, Ihnen Farbaufnahmen (von Arthur Siegel), die ich Ihnen eigentlich vorführen wollte, noch zu zeigen." Ich bin Beaumont Newhall für dieses Urteil bis heute dankbar.

Frage: Sprechen wir doch gleich über die Fotokonferenz, die Sie im Auftrage von Walter Paepcke 1951 in Aspen organisiert haben. Was hatte es damit auf sich, und was waren die Ergebnisse?
Berko: Walter Paepcke wollte gerne, nachdem der Sommer durch die Design Konferenz und das Musikfestival gut ausgefüllt war, auch noch eine Veranstaltung im schönen Herbstmonat September haben, damit Aspen weiter im Gespräch bleibt. Über den Winter machte er sich gar keine Sorgen, weil Aspen dann ja als Ski-Zentrum sowieso große Publizität hatte. Seine Idee war, wir sollten die berühmtesten Fotografen und Meinungsbildner der Fotografie als Vortragende für ein Symposium gewinnen, zu dem dann sehr viele Besucher kommen würden. Ich hatte Bedenken, weil eine solche Veranstaltung eine längere Vorlaufzeit braucht, damit alle wichtigen Fotozeitschriften und sonstigen Medien, die ein interessiertes Publikum mobilisieren, erreicht werden können. Mein Vorschlag ging dahin, die Konferenz doch auf 1952 zu verschieben. Walter Paepcke schloß sich meinen Bedenken jedoch nicht an, war allerdings nachher sehr enttäuscht, daß ich leider recht hatte und wir, wie ich es vorausgesagt hatte, sehr sehr viele Häuptlinge in Aspen zu Besuch hatten, aber kaum Indianer. Das gute an der Sache war, daß das Zusammentreffen so wichtiger Personen wie Ansel Adams, Minor White, Dorothea Lange, Eliot Porter, Laura Gilpin, Frederic Sommer, Wayne Miller, Nancy and Beaumont Newhall, John Morris, Herbert Bayer, Berenice Abbott und Will Donell natürlich eine wahnsinnig interessante Sache darstellte, mit anregenden Diskussionen, wie sie nur im kleinen Kreis möglich sind. Mein Kummer war nur, daß Walter Paepcke, der sich eine groß angelegte Veranstaltung gewünscht hatte, enttäuscht war und für Aspen keine weiteren Fotokonferenzen mehr in Angriff nahm.

Frage: Ich habe in einem Artikel von James Enyeart, dem Direktor des George Eastman Hauses, gelesen, daß die von Ihnen organisierte Veranstaltung, die er „die berühmte Fotokonferenz in Aspen" nennt, das wichtige Ergebnis hatte, daß die Zeitschrift „Aperture" gegründet wurde, mit Minor White als ihrem ersten Redakteur. Auch andere sprechen heute von einer legendären Veranstaltung.
Berko: Ich glaube, daß die Not der kurzen Einladungsfrist wirklich das gute hatte, daß in einem engen Kreis solche Ideen wie die Zeitschrift „Aperture" wirklich erdacht und besprochen werden konnten. Beaumont Newhall hat übrigens in der ersten Ausgabe von Aperture ausführlich über die Fotokonferenz in Aspen berichtet.

Frage: Im Jahre 1952 wurde Ihre zweite Tochter, Gina, geboren. Ihr berufliches und privates Leben hatte klare Konturen. Neben der Aufgabe, die kulturellen Veranstaltungen in Aspen dokumentarisch zu begleiten, entstanden im Laufe der Jahre Ihre berühmten, häufig sehr informellen Porträts vieler Persönlichkeiten der Zeitgeschichte. Für Ihre übrigen Auftraggeber mußten Sie aber dann viel reisen.
Berko: Ja, dies traf bei mir genauso wie bei fast allen freischaffenden Fotografen zu. Nur mit dem Unterschied, daß die Anreise von Aspen aus natürlich schon stets nicht ganz leicht ist.

Frage: Sie haben aber in der Folgezeit nicht nur als freischaffender Fotograf, sondern auch als Filmemacher gearbeitet?
Berko: Ja, ich habe eine ganze Reihe von Filmen gedreht, u. a. für die Container Corporation, für Samsonite und für Westinghouse. Dann habe ich für Charles Eames, der eine Dokumenation über das Meer für CBS machte, eine Reportage über Anne Morrow Lindbergh's „Gift from the Sea" gedreht, die er in seine Dokumentation eingearbeitet hat. Für Charles Eames habe ich übrigens auch Fotos gemacht, die er für eine sehr innovative Multivisionsschau benutzt hat, die auf zwölf Leinwänden damals in Moskau gezeigt wurde.

Frage: Sie waren viele Jahre voll mit Ihrer Berufstätigkeit ausgefüllt. Aufnahmen für die Werbung, Aufnahmen für Magazine, Aufnahmen für Geschäftsberichte von Firmen, Aufnahmen für Plakate und Plattenhüllen. Blieb noch genug Zeit für Ihre eigene Fotografie?

Berko: Ja, ich habe so oft ich konnte kurze Reisen in fremde Länder gemacht, auf denen ich dann sehr intensiv fotografiert habe. Dies hat mir sehr geholfen, daß ich nicht nur einseitig als Berufsfotograf gearbeitet habe und man mich nur noch als Spezialisten eingeordnet hätte. Übrigens war das auch der Grund, warum ich mich damals entschloß, keine Aktaufnahmen mehr zu machen.

Frage: Aber die Porträtfotografie blieb stets ein wichtiges Arbeitsgebiet. Ich habe irgendwo gelesen, daß Sie während der Carter Administration zusammen mit Ansel Adams und Arnold Newman zu den Fotografen gehörten, die die offiziellen Porträts der Kabinettmitglieder aufgenommen haben?
Berko: Ja, die Porträtfotografie blieb stets ein wichtiges Arbeitsgebiet.

Frage: Seit wann hat man Ihre Fotografie denn für Ausstellungen entdeckt?
Berko: Bilder von mir waren schon in den 60er Jahren in Gruppenausstellungen zu sehen. Seit 1967 interessierte man sich dann sehr – wie ich meine reichlich spät – für meine Farbfotografie. Eine Ausstellung im Cincinnati Museum of Art wanderte anschließend durch zahlreiche Galerien in den Vereinigten Staaten. 1972 zeigte das Amon Carter Museum in Fort Worth ebenfalls Arbeiten in Farbe. Frühe Farbaufnahmen von mir wurden 1978 auf der photokina zusammen mit Aufnahmen von Keld Helmer Petersen gezeigt. Eine Ausstellung meiner Farbaufnahmen zusammen mit Arbeiten des sehr bekannten Berufsfotografen Anton Brühl zeigte das Center for Creative Photography der Universität von Arizona. Eine große Ausstellung meines Porträtwerks wurde dann unter dem Titel „Aspen Portraits 1949-1983" im Museum in Aspen gezeigt.

Frage: Zusammen mit Giselle Freund, Horst P. Horst, Arnold Newman und Gordon Parks und Fotografen der legendären Picture Post waren Sie 1989 Ehrengast auf einem Symposium des National Museum of Photography, Film and Television in Bradford, England. Damals haben Sie viele Gespräche mit jüngeren Menschen geführt. Jetzt sind Sie anläßlich der Retrospektive Ihres Werks Ehrengast bei den Rencontres Internationales de la Photographie in Arles. Auch hier wieder sprechen Sie mit vielen jungen Fotografen. Was ist Ihr Eindruck von der jungen Fotografengeneration?
Berko: Die jungen Fotografen, zumindestens die guten, sind nicht soviel anders als ich in dem Alter war. Sie suchen nach neuen und besseren visuellen Ausdrucksformen. Ich habe allerdings das Gefühl gewonnen, daß bei manchen der Wunsch, um jeden Preis originell zu sein, zu stark ist, weil dabei die Disziplin der Arbeit und die notwendige Qualität auf der Strecke bleiben.

Frage: Viele Ihrer in der Retrospektive gezeigten Werke haben ihren Platz bereits in Museen und Sammlungen gefunden. Was fühlt man, wenn man feststellt, daß zunächst die Fachwelt, dann aber – wie hier in Arles – eine größere Öffentlichkeit von dem fotografischen Werk von Berko begeistert ist und es als eine Entdeckung ansieht?
Berko: Glück und Dankbarkeit.

ENTDECKER IN SCHWARZWEISS

Colin Ford

Der erste Weltkrieg veränderte ganz Europa und besonders Ungarn. Zwei Jahre nach seinem Ende war die Monarchie zusammengebrochen und es war unter verschiedenen Regierungen in schändliche Vergessenheit geraten. Der Friedensvertrag von Trianon 1920 reduzierte das Staatsgebiet auf ein Drittel.

Über Nacht wurden Zehntausende ungarischer Bürger Rümanen, Jugoslawen oder Tschechoslowaken. Wenn sie in das, was von Ungarn übriggeblieben war, ziehen wollten, erwarteten sie Arbeitslosigkeit, Obdachlosigkeit und Armut. Sie bewirkten zwar eine künstlerische und kulturelle Explosion, aber das war kaum ein Ausgleich für bittere Armut und politische Unsicherheit. So wanderten viele weiter, um sich irgendwo in Europa oder Amerika niederzulassen.

Die Familie Berko ging nach Deutschland. Hier machte Ferenc seine ersten Schüler-Fotos, bekam eine Leica und lernte seinen ungarischen Landsmann László Moholy-Nagy kennen. Zwei der frühesten Bilder in diesem Buch „Straßenbahn" und „Kutsche", die Berko mit 16 Jahren gemacht hat, könnten fast von Moholy-Nagy sein, der diese ungewohnte Perspektive von oben besonders liebte, die abstrakte Ansichten von den belebtesten Plätzen zaubern konnte. Er war der Wegbereiter dieser „Neuen Sachlichkeit" in der Fotografie. Aber der junge Berko hatte zweifellos seine eigene Art zu sehen und beherrschte schon den Umgang mit der neuen 35 mm Kamera.

Vielleicht kannte Berko auch die Arbeiten anderer Ungarn. So erinnern die flimmernden impressionistischen Formen der „Fahrradfahrer" an die Bilder von Schwimmern, die André Kertész 15 Jahre zuvor gemacht hatte. Berkos Dorfszenen spiegeln den bekannten sehr malerischen Stil der Zeit wider.

Wenn Berko diesen ungarischen Vorbildern möglicherweise nicht absichtlich folgte, so hatte er doch die gleiche Herkunft und unterlag vielleicht auch den gleichen Einflüssen wie sie. Kertész hat sehr anschaulich die Zeitschriften aus seiner Kindheit beschrieben, die Stiche vom häuslichen und ländlichen Leben zeigten. Solche „kleine Begebenheiten", wie er es nannte, solche Alltagsszenen und nicht große dramatische Ereignisse bilden hauptsächlich das Werk von Kertész und beseelen auch viele der fotojournalistischen Schwarzweiß-Arbeiten von Berko und seinen Zeitgenossen.

Auch als Berko 1933 in England war, fotografierte er Menschen und das Alltagsleben – immer aus einem schrägen Aufnahmewinkel ohne frontale Gegenüberstellung. Man spürt die sanfte und unaufdringliche Gegenwart eines Fremden, der bemüht ist, festzuhalten was er sieht, darüber zu lächeln, aber sich nicht einzumischen. In England machte er auch seine ersten Dokumentarfilme; von nun an spielte neben der Fotografie auch der Film in seinem Leben eine wichtige Rolle.

Als Berko 1938 als Filmkameramann nach Indien ging, war er in seinem Element als fremder Beobachter. Er war einer der ersten, der eine europäische Sehweise und Kleinformat-Ästhetik auf den Subkontinent brachte und so den Weg für andere bereitete, wie etwa Cartier-Bresson (der 1947 zum ersten Mal in Indien fotografierte, gerade als Berko zurück nach England und dann nach Amerika ging).

Moholy-Nagy war es, der Berko einlud, nach Amerika zu kommen und am Institute of Design in Chicago zu unterrichten, wo die Tradition des Bauhauses lebendig erhalten wurde. Er fotografierte weiter in Schwarzweiß das Alltagsleben, aber er war nun in einer neuen Welt: aggressiv, ungestüm und voll Farbe. Seine Bilder mußten sich wie seine Umgebung ändern.

Die Reihe der großen Meister der Fotografie des 20. Jahrhunderts enthält eine erstaunlich große Zahl von Emigranten, die aus Ungarn zwischen den beiden Weltkriegen gekommen waren: Lucien Aigner, Robert und Cornell Capa, André Kertész, Brassai, László Moholy-Nagy, Martin Munkácsi, Nickolas Muray. Der Name Ferenc Berko muß nun dieser Reihe hinzugefügt werden, nicht zuletzt auch wegen der verblüffenden Qualität seiner fotojournalistischen Arbeiten in Schwarzweiß.

Frankfurt, Germany, 1932

Frankfurt, Germany, 1932

Frankfurt, Germany, 1932

Göddölö, Hungary, 1937

Göddölö, Hungary, 1937

Budapest, Hungary, 1937

Budapest, Hungary, 1937

Budapest, Hungary, 1937

Budapest, Hungary, 1937

Budapest, Hungary, 1937

Trafalgar Square, London, England, 1936

London, England, 1937

Derby, Epsom Downs, England, 1937

Derby, Epsom Downs, England, 1937

British Museum, London, England, 1937

British Museum, London, England, 1937

British Museum, London, England, 1937

Trafalgar Square, London, England, 1936

Paris, France, 1936

London, England, 1936

Paris, France, 1937

Basel, Switzerland, 1937

Paris, France, 1937

Trouville, France, 1937

Paris, France, 1936

Paris, France, 1937

Rome, Italy, 1955

Villa Borghese, Rome, Italy, 1955

Nowshera, India, 1945

Chowpatty Beach, Bombay, India, 1941

Chowpatty Beach, Bombay, India, 1945

Bombay, India, 1938

Bombay, India, 1942

Rawalpindi, India, 1946

Nowshera, India, 1956

Jantar Mantar, India, 1942

Film Studio Bombay, India, 1939

Nowshera, India, 1946

Bombay, India, 1941

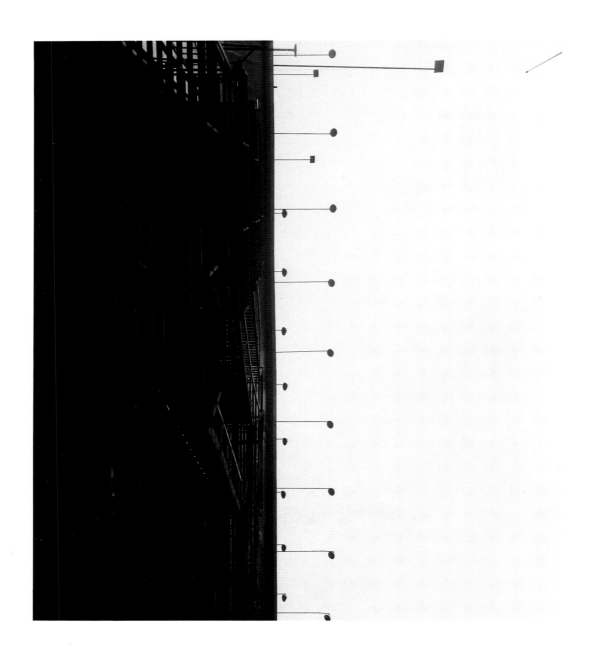

Billboard Lights, New York, USA, 1950

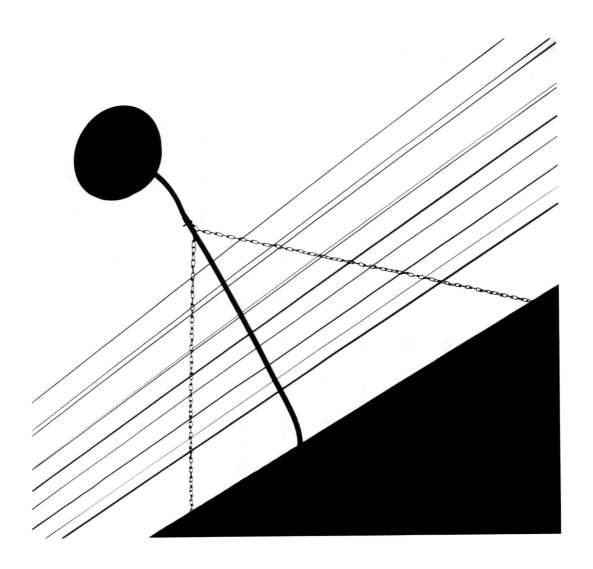

Store Display, Chicago, USA, 1947

New York, USA, 1949

Chicago, USA, 1947

Fire Escapes, Chicago, USA, 1947

Tramlines, New York, USA, 1949

Chicago, USA, 1948

New York, USA, 1947

Riverboat Band, Chicago, USA, 1949

Mexico, 1954

Mexico, 1954

Bombay, India, 1938

Bombay, India, 1939

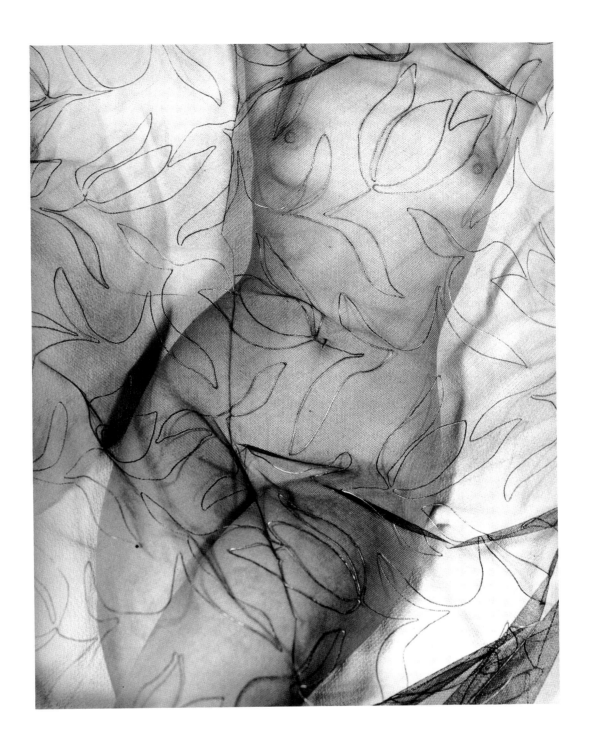

Bombay, India, 1939

Bombay, India, 1938

Chicago, USA, 1948

79

Bombay, India, 1942

Paris, France, 1937

Bombay, India, 1941

Bombay, India, 1940

Pandit Jawaharlal Nehru, Bombay, India, 1942

Ludwig Mies van der Rohe, Chicago, USA, 1948

Albert Schweizer, Aspen, USA, 1949

Arthur Rubinstein, Aspen, USA, 1949

André Kertesz, New York, USA, 1979

Edward Weston, New York, USA, 1979

Roy Lichtenstein, Aspen, USA, 1960

Cleas Oldenburg, Aspen, USA, 1960

91

Madeleine und Danus Milhaud, Aspen, USA, 1968

José Ortega y Gasset, Aspen, USA, 1949

PIONIER DER MODERNEN FARBFOTOGRAFIE

Helmut Gernsheim

Dies ist das erste Buch, das dem Leben und Werk eines der grossen amerikanischen Fotografen gewidmet ist. Seit über fünfzig Jahren ringt Franz Berko mit der fotografischen Gestaltung von Natur und Menschen und schuf ein bedeutendes Werk auf verschiedenen Gebieten.

Berko ist einer der führenden Namen in der Farbfotografie – ein Gebiet, auf dem er 1948/49 Pionierarbeit leistete als die meisten Profis noch debattierten, ob Farbe wirklich notwendig sei. Damals war Berko noch Dozent am Institute of Design in Chicago. Wo immer seine Fotos heute ausgestellt werden, wie in Arles diesen Sommer, an den Universitäten von Texas und Arizona, in seinem Heimatort Aspen, Colorado, oder auf der photokina- um nur ein paar Ausstellungen der letzten 12 Jahre zu nennen – immer wieder erstaunen Berkos Abstraktionen den Beschauer wie ein neues Erlebnis.

Jede Fotografie ist ein Fragment der Natur, nur Berkos close-ups sind eher Abstraktionen der Fragmente. Die Sujets, die er auf den Farbfilm bannte, hatten niemanden vor ihm zur Aufnahme gereizt: abgerissene Plakate, die Vielfalt eiserner Nottreppen in den einfachen Wohnquartieren Chicagos, abbröckelnde Mauerflächen, die Zeichnung auf Schmetterlingsflügeln, Wasserspiegelungen, die Musterung von Versteinerungen, das Gefieder tropischer Vögel, Scheunentore und Fenster usw. Der Zauber dieser Aufnahmen liegt in der Konzentration des Motivs und seiner Isolierung von der Umwelt. Je stärker die Abgrenzung, desto surrealer ist der bildliche Eindruck.

Da sich die Auswahl der Farbabbildungen in diesem Buch (das als Begleitband zu einer gleichnamigen Wanderausstellung erscheint) weitgehend auf frühe Farbserien konzentriert, um Berkos Pionierleistung auf diesem Gebiet ganz besonders klar herauszuarbeiten, kann der Band leider nur andeutungsweise das Gesamt-Farbwerk von Berko zeigen. So mussten die großartigen Sandwüstenlandschaften in Neu Mexiko wie auch die brillanten Farbreportagen von Sri Lanka, Marokko, Mexiko, Japan, Haiti und Bali unberücksichtigt bleiben.

Der Zweck des Buchs und der Ausstellung, besonders auf die Pionierleistungen von Berko aufmerksam zu machen, erklärt auch die Auswahl von Berkos zarten und feingliedrigen Aktaufnahmen in Schwarzweiß aus den 50er Jahren. Die berufliche Tätigkeit Berkos galt demgegenüber auch den Porträts bedeutender Wissenschaftler und Künstler, die zu den internationalen Sommerkonferenzen des Instituts für Humanistische Studien nach Aspen kamen. Es sind dies lebendige, ungestellte Aufnahmen, die meist während der Sitzungen mit einer Telephoto-Linse eingefangen wurden und die den Vergleich mit Philipp Halsmans Porträts ohne weiteres zulassen.

Meine Bekanntschaft mit Franz kam auf recht ungewöhnliche Weise im Oktober 1977 im Frankfurter Flughafen zustande. Er zeigte mir eine Unmenge kleiner Drucke von seiner letzten Farbreportage aus Marokko und seinen faszinierenden Nahaufnahmen der Natur. Ich war überwältigt von der Vielfalt und der Gestaltungsweise und hingerissen von der Pracht der Farben und Franz' unfehlbarem Auge für das Wesentliche. Leider konnte ich in diesem Moment meinem Freund nur mit ein paar Adressen wichtiger Leute behilflich sein, die auch bald ihr Bestes taten um seine Interessen zu fördern, bis ich mich selbst für ihn mit Ausstellungen in Amerika und für die Gernsheim Collection in Austin, Texas einsetzten konnte.

Franz' ausserordentliche Fotos hatten meinen Wunsch gefestigt, einen tieferen Einblick in sein Werk zu gewinnen. Auch wollte ich grossformatige Drucke sehen. Der Anlass dazu kam schon im Mai des folgenden Jahres als ich in Austin weilte. Franz bot mir an, ihn in Phoenix zu treffen und gemeinsam eine Autoreise durch den Süden zu unternehmen. In 12 Tagen besuchten und photographierten wir die schönsten Sehenswürdigkeiten der Natur und die bedeutendsten Denkmäler indianischer Kultur in Arizona, New Mexico und Colorado. Abends im Hotel sah ich dann seine Fotos, von denen er mehrere hundert im Auto mitführte. Für mich waren die Erlebnisse der Natur, die Architektur jahrhundertealter Klippendörfer der Indianer und Berkos prächtige Farbdrucke eine unvergessliche Reise der Entdeckung. Wie war es nur möglich gewesen, dass sie mir so lange entgangen waren? Bedenke, es ist nie zu spät zu lernen.

Aspen Texture Series, Colorado, USA, 1948

Aspen Texture Series, Colorado, USA, 1948/49

Aspen Texture Series, Colorado, USA, 1948/49

Aspen Texture Series, Colorado, USA, 1948/49

Aspen Texture Series, Colorado, USA, 1948/49

House Fronts Series, New York, USA, 1951

House Fronts Series, New York, USA, 1950

House Fronts Series, New York, USA, 1951

Barn Series, Nebraska,, USA, 1949

Barn Series, Kansas, USA, 1950

Barn Series, Pennsylvania, USA, 1950

Car Junkyard, Tennesse, USA, 1963

Car Junkyard, Tennesse, USA, 1963

Deckchairs, Queen Mary, 1955

Ramp, Chicago, USA, 1948

Pátzcuaro, Mexico, 1954

Florence, Italy, 1960

Pisa, Italy, 1955

Diego Rivera, Mexico City, 1955

Navajo Dancer, New Mexico, USA, 1976

Cinema Entrance, Haiti, 1981

Ciudad Juárez, Mexico, 1953

120

Manzanillo, Mexico, 1968

121

Abstractions, Aspen, USA, 1987

Abstractions, Aspen, USA, 1987

EINZELAUSSTELLUNGEN

1947

Bronzes of Southern India. Victoria and Albert
Museum, London

1967

Berko: 75 Color Prints. Cincinnati Museum of
Art, Ohio (ging durch die USA)

1968

Beauty Perceived. Pat Moore Gallery, Aspen,
Colorado

1970

3 Color Photographers. Neikrug Gallery,
New York

1971

Berko: Retrospective. Institute for Humanistic
Studies, Aspen, Colorado

1972

Color Photography by Berko. Amon Carter
Museum, Fort Worth, Texas

1976

Images of Nature. Amon Carter Museum, Fort
Worth, Texas (ging durch die USA)

1978

Vor 30 Jahren. Farbfotos von Keld-Helmer
Petersen (Kopenhagen) und Ferenc Berko
(Aspen, Colorado) photokina Ausstellung im
Kölnischen Kunstverein Köln

1979

50 Color Photographs. Institute for Humanistic
Studies, Aspen, Colorado

Ferenc Berko/Franco Fontana/Victor Gianella.
University of Texas at Austin, Texas

1980

Ferenc Berko/Anton Bruehl. Center for Creative
Photography,
University of Arizona, Tucson

1981

Ferenc Berko. New Gallery for Contemporary
Photography, Cleveland, Ohio

Ferenc Berko. 5th Avenue Gallery of
Photography, Scottsdale, Arizona

Selected Photographs 1937 - 1979. Aspen Art
Museum, Aspen, Colorado

1983

Unicorn Gallery. Aspen Colorado
(Retrospektive)

1984

Aspen Portraits. Aspen Institute for Humanistic
Studies, Colorado (ging anschließend zur
Modernage Gallery, New York 1985)

1988

Ferenc Berko. Vintage Prints
Fotografie Forum Frankfurt, Frankfurt am Main

1991

The Discovering Eye. Sechs Jahrzehnte
Fotografie von Ferenc Berko, Rencontres
Internationales de la Photographie, Arles

Ferenc Berko - 60 Jahre Fotografie.
Retrospektive, Fotografie Forum
Frankfurt, Frankfurt am Main

GRUPPENAUSSTELLUNGEN
(Auswahl)

1959

Photography at Mid-Century. International
Museum of Photography, George Eastman
House, Rochester, New York

1964

Santos of New Mexico. Amon Carter Museum,
Fort Worth, Texas

1968

Photography USA. De Cordova Museum,
Lincoln, Massachusetts

1980

American Portraits of the 60's and 70's.
Center for Visual Arts, Aspen, Colorado

The Carter Cabinet Portraits. National Portrait
Gallery, Washington, D.C.

1984

Subjektive Fotografie: Images of the 50's.
San Francisco Museum of Modern Art (travelled
to the University of Houston, Texas; Museum
Folkwang, Essen; Vasterbottens Museum,
Umea; Kulsturhuset, Stockholm; Saarland
Museum, Saarbrücken; Palais des Beaux-Arts,
Brussels)

1985

Das Aktfoto. Fotomuseum im Stadtmuseum,
München

"Points of View", Benteler Galleries, Houston,
Texas

1986

50 Jahre moderne Fotografie.
Photokina '86, Köln

1991

Der Fotografierte Schatten. Galerie Rudolf
Kicken, Köln

SAMMLUNGEN

Fotografien von Ferenc Berko befinden sich in
den Sammlungen folgender Museen und
Institutionen:

– Museum of Modern Art (New York)

– Metropolitan Museum of Art (New York)

– International Center of Photography
(New York)

– University of Texas at Austin
(Gernsheim Collection)

– Museum of Modern Art (San Francisco)

– Center of Creative Photography
(Tucson Arizona)

– Museum of Fine Arts (Houston)

– Bibliotheque Nationale (Paris)

– Museum Ludwig (Köln)

– Kunsthaus (Zürich)

VERÖFFENTLICHUNGEN UND PORTFOLIOS VON BERKO

Ferenc Berko
Photographie in Frankreich
Kurt Peter Karfeld (Hrsg.)
in Leica in aller Welt
München 1938

Ferenc Berko
Take a New Look at Winter
in Modern Photography
Dezember 1952

Nudes by Berko, Brasch and Bullock
Portfolio mit Text von Lou Parella
New York 1960

The Aspen Idea
Text Sidney Hyman/Fotos Ferenc Berko
University of Oklahoma Press
Norman, Oklahoma 1975

Ferenc Berko (Portfolio)
in Creative Camera (London)
August 1978

Berko, Color Photographs
Dye Transfers Limited Edition mit einer Einführung
von Helmut Gernsheim
ARCO Center for Visual Arts
Los Angeles 1979

Ferenc Berko - Early Images
Portfolio mit 12 Schwarz/Weiß Aufnahmen
Herausgegeben von der Unicorn Gallery
Aspen, Colorado 1983

Ferenc Berko
Aspen Portraits 1949 - 1983
Ausstellungskatalog
Mit einem Text von David J. Flora
Aspen Institute for Humanistic Studies
Aspen 1983

ÜBER BERKO (Auswahl)

N.N.
Berko: Dynamik von innen heraus
in Großbild-Technik (München)
1955, Heft 2

Jacquelyn Balish
Ferenc Berko: A many-sided talent
in Modern Photography
November 1958

Giuseppe Turroni
Astrattismo di Berko
in Ferrania Rivista mensile di
fotografia e cinematografia
(Mailand) April 1958

Bernd Lohse
Ferenc Berko
in Camera (Luzern)
Oktober 1976

Karl Steinorth
Ferenc Berko - Ein Meister
der stillen Farbe
in Format (Karlsruhe)
September 1978

James Enyeart
Ferenc Berko
in American Photographer (New York)
Juli 1980

Eberhard Hess
Ferenc Berko: Schillernde Paradiesvögel
in Photo Technik International (München)
1986, Heft 4

Helmut Gernsheim
Beitrag über Ferenc Berko
in Contemporary Photographers
Chicago u. London 1982
2. Aufl. 1988

Helmut Gernsheim
Ferenc Berko: Fotografie
im Telegrammstil
in FotoMagazin (München)
Juli 1983

Philip Yenawine
In Essence: The photographic art of
Ferenc Berko
in Aspen - The Magazine
Sommer 1984

M. und M. Auer
Artikel Ferenc Berko
in Photographers Encyclopedia International
Genf 1985

Bernd Lohse
Ferenc Berko: Ein Leben mit der Kamera
in Photo Technik International (München)
April/Mai 1986

N.N.
Ferenc Berko
Meister der Leica
in Leica Fotografie (Frankfurt)
Heft 7/1987

Bernd Lohse
Ferenc Berko: Virtuose der Farbe
in Leica Fotografie (Frankfurt)
Heft 5/1989

N.N.
Ferenc Berko: The Discovering Eye
in Photo Design und Technik (München)
August 1991

Karl Steinorth
Ferenc Berko
in Profi Foto (Düsseldorf)
September 1991

Karl Steinorth
Ferenc Berko: Ein Meister der Farbe
in Color Foto (München)
Oktober 1991

Karl Steinorth
Ferenc Berko - ein Klassiker der
Aktfotografie
in Foto Video Populär (München)
Oktober 1991

Karl Steinorth
Ferenc Berko - 60 Jahre Fotografie
in form (Leverkusen)
Oktober 1991

DANKSAGUNG

Ferenc Berko

Für Hilfe und Unterstützung zu verschiedenen Zeiten, die für mich wichtig waren, geht mein Dank an das Aspen Institute for Humanistic Studies, Cornell Capa, Owen Edwards, James Enyeart, Colin Ford, Helmut Gernsheim, Renate und Fritz Gruber, Manfred Heiting, Bill Jay, Rudolf Kicken, Bernd Lohse, Jay Meisel, Beaumont Newhall, Allan Porter und Philip Yenawine.

Mit großer Dankbarkeit erinnere ich mich an Alexey Brodovich, Charles Eames, E.O. Hoppé, André Kertész, László Moholy-Nagy und George Nelson.

Ein besonderer Dank geht an Robert O. Anderson für die Herausgabe des Portfolios von Dye Transfers und an all die Redaktionen – zuviele um sie hier alle aufzuzählen – die seit 1936 meine Fotografien und Texte veröffentlicht haben.

© Copyright 1991 by Kulturprogramm der Kodak Aktiengesellschaft, D-7000 Stuttgart und
EDITION STEMMLE/Verlag „Photographie" AG, CH-8201 Schaffhausen

Copyright Fotografien/Photographs by Ferenc Berko, Aspen, Colorado/USA
Copyright der Texte bei den Autoren/Copyright Text by the Authors

Gestaltung/Design and Layout by V+K Design, NL-1251 AT   Laren N.H.
Gesemtherstellung/Printed and bound by Snoeck-Ducaju & Zoon, B-9000 Gent

ISBN 3-7231-0424-X Buch

ISBN 3-7231-0433-9 Katalog